Chroniques
d'une p'tite ville

**Catalogage avant publication de Bibliothèque et Archives nationales
du Québec et Bibliothèque et Archives Canada**

Hade, Mario, 1952-
Chroniques d'une p'tite ville. Les débuts
ISBN 978-2-89585-772-3
I. Titre. II. Titre : Débuts.
PS8615. A352C472 2016   C843'.6   C2016-941093-5
PS9615.A352C472 2016

Les Éditeurs réunis bénéficient du soutien financier de la SODEC
et du Programme de crédit d'impôt du gouvernement du Québec.

Nous remercions le Conseil des Arts du Canada
de l'aide accordée à notre programme de publication.

Financé par le gouvernement du Canada

Édition :
LES ÉDITEURS RÉUNIS
lesediteursreunis.com

Distribution au Canada :
PROLOGUE
prologue.ca

Distribution en Europe :
DILISCO
dilisco-diffusion-distribution.fr

 Suivez Les Éditeurs réunis sur Facebook.

Visitez le site Internet de l'auteur : www.mariohade.com

Imprimé au Canada
Dépôt légal : 2016
Bibliothèque et Archives nationales du Québec
Bibliothèque nationale du Canada
Bibliothèque nationale de France

Mario Hade

Chroniques
d'une p'tite ville

Les débuts

LES ÉDITEURS RÉUNIS

Du même auteur

Le secret Nelligan, roman, Les Éditeurs réunis, 2011.

L'énigme Borduas, roman, Les Éditeurs réunis, 2012.

Chroniques d'une p'tite ville, tome 1 : 1946 – L'arrivée en ville, roman, Les Éditeurs réunis, 2013.

Chroniques d'une p'tite ville, tome 2 : 1951 – Les noces de Monique, roman, Les Éditeurs réunis, 2013.

Chroniques d'une p'tite ville, tome 3 : 1956 – Les misères de Lauretta, roman, Les Éditeurs réunis, 2014.

Chroniques d'une p'tite ville, tome 4 : 1962 – La vérité éclate, roman, Les Éditeurs réunis, 2014.

Des nouvelles d'une p'tite ville, tome 1 : 1967 – Violette, roman, Les Éditeurs réunis, 2015.

Des nouvelles d'une p'tite ville, tome 2 : 1968 – Juliette, roman, Les Éditeurs réunis, 2015.

Des nouvelles d'une p'tite ville, tome 3 : 1969 – Monique, roman, Les Éditeurs réunis, 2015.

Des nouvelles d'une p'tite ville, tome 4 : 1970 – Jacques, roman, Les Éditeurs réunis, 2016.

Chapitre 1

Né le 26 février 1896, Émile Robichaud était le fils d'Arthur Robichaud et de Marie-Eugénie Lemaire, eux-mêmes fils et fille de fermiers des alentours de Stanbridge East. En 1895, Arthur – qui avait dix-huit ans – avait rencontré Eugénie, âgée de seize ans. Arthur avait travaillé à la ferme de Charles Lemaire à Sainte-Brigide durant la période des moissons. La ferme de ce dernier était beaucoup plus imposante que la terre des Robichaud ; Charles Lemaire avait donc besoin d'hommes engagés pour suffire à la tâche. Il était fortuné, mais n'avait pas eu la chance d'avoir beaucoup d'enfants : deux garçons, encore trop jeunes, et deux filles dont Eugénie était l'aînée.

Comme les Robichaud avaient besoin d'argent, Arthur avait accepté de monter un des chevaux de labour pour se rendre à la ferme des Lemaire, matin et soir, moyennant des gages si petits fussent-ils. Chaque jour, il parcourait cette grande distance avec plaisir. Le matin, il poussait l'allure du cheval du trot au galop pour revenir au pas, mais le soir, il menait la bête au pas parce qu'il était exténué de sa journée de dur labeur. Il en profitait pour réfléchir à son avenir. Arthur était orgueilleux et se donnait à cent pour cent afin de faire bonne figure devant le patron, mais aussi auprès de sa fille Eugénie qu'il trouvait très belle. Il était rapidement tombé sous le charme de celle-ci.

Eugénie n'était pas insensible à la prestance d'Arthur. Elle aimait sa carrure – il était plutôt grand avec ses cinq pieds sept pouces. Il avait la taille fine, et son pantalon un peu trop serré laissait deviner des jambes musclées. Elle rougissait quand elle pensait aux fesses du jeune homme, aussi musclées que ses jambes. Il affichait une assurance qui prouvait que rien ne lui faisait peur, et surtout pas le travail. Une journée qu'Arthur et les autres engagés travaillaient aux champs, Eugénie leur avait apporté de la limonade au gingembre. Tout le monde avait apprécié le rafraîchissement. Quand Arthur s'était servi, elle avait remarqué que sa chemise était détrempée et entrouverte. Le vent lui avait permis de sentir son odeur musquée ; elle en avait été étourdie. Sur le chemin du retour vers la maison, elle s'était surprise à rêvasser qu'Arthur la prenait dans ses bras et l'embrassait. Ayant entrevu son torse, Eugénie avait le sentiment qu'il serait réconfortant de se coller contre cette poitrine. Cela lui fit réaliser qu'elle était en amour avec Arthur.

Par la suite, ils ne se rencontrèrent plus que sur le parvis de l'église du village, quand la famille Lemaire venait visiter de la parenté dans la région. Eugénie était menue et belle à croquer. Arthur était conquis. Sa mère – Olympe Robichaud, née Messier – avait remarqué son intérêt pour celle qu'elle appelait « la p'tite Lemaire ». Elle n'était pas très enthousiaste.

— Oublie-la, Arthur ! Elle est beaucoup trop frêle ; je suis sûre qu'elle va mourir en couches dès son premier bébé. Si le bébé ne meurt pas en même temps, qui voudra d'un jeune veuf avec un marmot, dis-moi ?

— Vous êtes pas mal vite en affaires, la mère ! Je l'ai juste regardée ! Avouez qu'elle a belle allure.

— Ah ! pour ça, oui ! Elle a l'air d'une p'tite fille pas encore pubère. Regarde-lui la largeur du bassin. On voit tout de suite qu'elle n'est pas faite pour élever une famille, encore moins mettre au monde des enfants…

— J'ai travaillé aux foins chez son père. Eugénie est vaillante pas à peu près.

— La vaillance ! La vaillance ! Ça prend plus que ça pour élever une famille, tu sauras, mon jeune.

— Ça va, la mère, j'ai compris ! répliqua Arthur qui commençait à perdre patience. Vous ne pensez pas à mon bonheur, mais seulement à la portée qu'elle pourrait avoir. Eugénie n'est pas un animal, batinse !

Son idée était faite : il tenterait de conquérir la jeune femme à tout prix. Il avait bon espoir, car elle lui avait déjà donné des signes qu'il ne la laissait pas indifférente. Eugénie lui faisait perdre la tête. C'est vrai qu'elle était petite pour son âge – elle avait seize ans, bientôt dix-sept –, mais chaque fois qu'Arthur posait les yeux sur elle, il devenait fou de désir.

Eugénie lui glissa un petit mot dans la main pour lui signifier que la semaine suivante, la famille Lemaire assisterait à la messe de Sainte-Brigide. « Nous resterons à Sainte-Brigide dimanche prochain. Pourras-tu venir ? »

Le cœur d'Arthur battait si fort qu'il se sentait près de défaillir. Pendant que les paroissiens pavoisaient sur le parvis, il s'empressa de trouver un crayon et d'écrire « Oui ». Ensuite, il remit le billet plié le plus discrètement possible à Eugénie en lui serrant la main avec chaleur. Ce jeu, qui se poursuivit jusqu'au printemps suivant, ne passa pas inaperçu aux yeux de Mme Lemaire. Elle trouvait sa fille un peu jeune, mais Arthur Robichaud lui faisait bonne impression. Et puis, tant que ça se limitait à des rencontres à l'église, il n'y avait pas péril en la demeure. Elle pouvait dormir sur ses deux oreilles, même si elle se méfiait de la nature ardente de sa fille aînée.

Lors de la remise de leurs messages, Eugénie et Arthur se touchaient le bout des doigts et parfois la paume, ce qui les bouleversait au plus haut point. Au fil du temps, les missives s'étaient transformées. Après s'être limitée à indiquer un lieu de rendez-vous, Eugénie avait ajouté un cœur rouge, puis les mots « Je t'aime » étaient apparus. Aussitôt, ceux-ci avaient été partagés…

Basile Robichaud avait compris les plans de son fils Arthur quand ce dernier avait commencé à lui emprunter un cheval pour se rendre à Sainte-Brigide. De son côté, Olympe, sa femme, avait remarqué assez rapidement les jeux de mains entre les deux tourtereaux. Basile ne comprenait pas pourquoi sa femme désapprouvait cette relation naissante. Son fils était un homme mûr et c'était normal qu'il veuille fonder une famille à son tour. Basile n'était guère plus vieux qu'Arthur quand il avait convolé en justes noces avec sa belle Olympe.

— Veux-tu bien me dire pourquoi les amourettes de ton gars te déplaisent autant, Olympe ? La p'tite Lemaire serait un très bon parti pour Arthur.

— Justement, Basile : quand on parle d'elle, on dit toujours « la p'tite Lemaire », comme tu viens de le faire. Je n'ai rien contre elle, mais l'as-tu bien regardée ? Elle a l'air d'une enfant fragile qui n'a pas une grosse santé. Veux-tu qu'Arthur se retrouve veuf à vingt ou vingt-cinq ans ? Elle ne sera jamais capable de lui donner une grosse famille, comme le curé le prêche.

— Si je suis ton raisonnement, Eugénie Lemaire devrait entrer chez les sœurs et être l'épouse du bon Dieu ? Elle est beaucoup trop jolie pour ça ! Elle fera le bonheur de notre garçon. Et si jamais elle meurt en couches, ce sera la volonté divine qui en aura décidé ainsi. Je ne veux pas intervenir dans la vie d'Arthur sur des *si* et des *peut-être* !

— Ils vivront où ? demanda Olympe.

— Si le père Lemaire ne leur fait pas une place sur sa terre, ce sera de notre devoir d'y voir ! On sera à l'étroit pour un moment, mais rien ne nous empêche d'agrandir la maison.

Notre terre pourrait faire vivre deux familles si on augmentait notre cheptel et déboisait encore un peu plus du côté ouest, qui n'est que broussailles sans valeur.

— C'est une terre de roches qu'on a, mon pauvre Basile !

— Avec du cœur à l'ouvrage, pense à ce qu'on a réussi à faire. Et ce n'est pas le cœur qui lui manque, à notre Arthur. Notre terre va lui revenir par droit d'aînesse quand nous serons prêts à partir.

— Mais pour aller où, ma foi du bon Dieu, Basile ? Nous n'accumulerons jamais assez d'argent pour nous retirer, ne serait-ce qu'à Farnham !

— Tu es bien pessimiste, Olympe ! Je suis sûr que nous avons encore devant nous plusieurs belles années. Bien des événements peuvent survenir pendant ce temps-là. Ne crois-tu pas ? Les voies du Seigneur sont impénétrables…

— C'est une conversation inutile puisque ni Eugénie Lemaire ni son père n'ont donné le moindre signe d'assentiment concernant notre fils et son alliance à leur famille. Il s'agit tout au plus d'amourettes sans avenir. M. Lemaire a peut-être d'autres visées pour sa fille ?

— En tous les cas, à moins qu'il soit aveugle, il s'est sûrement rendu compte du manège qui se trame devant lui ! Cesse donc de t'en faire, Olympe, et attendons que les deux jeunes se déclarent. Nous aviserons à ce moment-là, veux-tu ?

— Tu as raison! Il coulera encore bien de l'eau sous les ponts avant qu'ils soient prêts à convoler… ou non! En attendant, ce n'est pas le travail qui manque ici. Heureusement que j'ai les filles pour m'aider, et toi les garçons pour érocher cette terre où il pousse plus de roches que d'avoine ou de légumes.

— Tu es bien injuste envers la terre qui nous nourrit! C'est vrai qu'il faut trimer dur, mais on y arrive. Les murets de pierres qui bornent notre propriété en font foi.

— Tu as raison, Basile. Excuse-moi de tant m'inquiéter, mais le temps a filé si vite que je ne l'ai pas vu passer. Dire que notre aîné est déjà en âge de se marier…

— C'est comme ça, Olympe. On ne peut pas arrêter le temps, malheureusement! Moi, à force de bûcher tout l'hiver, je sens déjà l'arthrite m'envahir. C'est une douleur pernicieuse qui s'infiltre tranquillement et je n'ai pas encore quarante ans. Le travail de fermier, ça use, mais quand on n'a ni instruction ni fortune, qu'est-ce qu'on pourrait faire d'autre? Partir pour les États afin de travailler dans les manufactures de coton? Au moins, on est propriétaires de notre terre et ça, personne ne peut nous l'enlever. C'est à nous autres!

Basile Robichaud avait clarifié la situation avec sa femme. Il ne mettrait pas de bâtons dans les roues de son fils s'il voulait courtiser, et éventuellement épouser, Eugénie Lemaire. Le temps arrangerait les choses, comme il l'avait toujours fait. Le destin s'occuperait de régir l'avenir, pour le meilleur et pour le pire. Il fallait attendre, rester à l'affût des signes qui détermineraient si Eugénie était la promise d'Arthur. On ne savait pas ce que le père Lemaire en pensait. Et s'il était favorable à cette union, quelle serait la dot de sa fille ? Basile préférait que le couple s'installe chez lui, même s'il savait que cela exigerait la réorganisation de la maisonnée. Il pourrait agrandir en repoussant la cuisine d'été pour faire de la place pour son fils et son épouse. Et pourquoi ne pas ajouter une deuxième pièce pour la venue éventuelle d'enfants ?

Arthur voyait le printemps arriver avec bonheur. Il avait trouvé l'hiver assez rude parce qu'il se rendait à l'église de Sainte-Brigide chaque fois que la famille Lemaire n'allait pas visiter la parenté du côté de Stanbridge East. Il arrivait à l'église, transi, les doigts gourds et les pieds complètement gelés. Eugénie n'était pas insensible à sa ténacité et l'aurait volontiers réchauffé, mais c'était impossible. La jeune femme sentait l'ardent regard d'Arthur peser sur elle, ce qui l'enflammait de désir. Malheureusement, elle ne pouvait se retourner pour contempler ses beaux yeux si vifs, si intelligents. Il fallait qu'Arthur soit un peu fou pour affronter les tempêtes alors que personne ne se risquait à venir de si loin.

Basile craignait pour son cheval et pour son fils, si passionné.

— Tu n'es pas très raisonnable, Arthur. Eugénie comprendra ton absence par ce froid si intense. Ne mets pas ta vie en danger !

— Elle s'attend à ce que je sois là. Et j'y serai, papa !

— Prends au moins mon capot de poil, mon chapeau pis mes mitaines. Et mets deux couvertures sur le dos de la Grise. N'oublie pas de la protéger du froid en lui trouvant une place à l'abri du vent. Si tu pouvais la laisser dans la remise à côté de l'église, ce serait encore mieux.

— T'inquiète pas, je prends toujours soin de la Grise. Elle est très précieuse, si je veux continuer à aller voir Eugénie. Il faudra que je change mes bottines de feutre l'année prochaine ; elles commencent à être usées et ne sont pas assez chaudes.

— Tu serais mieux chaussé avec des mocassins indiens par les grands froids.

— Le printemps s'en vient. Je m'en achèterai peut-être l'hiver prochain.

— Il faut que tu l'aimes, la p'tite, pas vrai ?

— C'est la mienne, papa ! Je ne vois qu'elle. Je sais que maman n'est pas très favorable à l'idée, mais je n'y peux rien…

— Elle trouve Eugénie trop frêle, mais elle ne veut que ton bien, sois-en certain. Et puis, ta mère te juge un peu fou, mais on l'est tous quand on est amoureux. Si tu m'avais vu quand je la courtisais… J'étais aussi fou que toi, mais elle ne s'en plaignait pas, je te le garantis !

— L'amour, ça ne se commande pas. Je voudrais bien faire autrement, mais je ne suis pas capable, papa.

— Souhaitons que le père Lemaire soit d'accord.

— Il me salue toutes les fois que nos regards se croisent. Je vais connaître son avis assez vite parce que j'ai l'intention de travailler pour lui dès le printemps, si tu es d'accord.

— Il faudrait que tu te trouves un cheval et un petit *buggy* parce que tu ne pourras pas parcourir cette distance matin et soir. Je vais regarder ça pour toi, mon gars.

— Tu es vraiment fin pour moi, papa. Mais je me demande ce qui arrivera si je marie Eugénie ? Y a pas vraiment de place ici pour nous loger.

— Ne t'inquiète pas de ça ! On en a parlé, ta mère et moi. On pourrait agrandir la maison par en arrière. Mais une chose à la fois ! On traversera le pont quand on arrivera à la rivière. On verra ce que le père Lemaire décidera, et la dot qu'il te donnera pour sa fille. Tu sais que la terre ici te reviendra quand nous prendrons notre retraite, ta mère et moi.

— Maman et toi, vous avez déjà calculé tout ça ?

— Il le faut, mais on en reparlera plus tard. Maintenant, tu dois partir si tu veux arriver à temps pour la messe !

Arthur était troublé par les paroles de son père. Il venait de comprendre que ses parents discutaient d'Eugénie et lui. Il se demandait si la même situation prévalait chez les Lemaire. Malgré tout, il avait le cœur léger. Bientôt, il reverrait Eugénie et ressentirait les mêmes palpitations que tous les dimanches.

Il rêvait de sentir le doux parfum qui émanait de sa chevelure. Quand il arriva finalement à l'église, il repéra le banc réservé par la famille Lemaire avant de se chercher une place. Il en vit une tout près d'Eugénie. Arthur songea que, sans le savoir, son père lui avait insufflé une dose de courage. D'une tendre rêverie, il était passé au désir ardent de dévoiler son amour au grand jour, d'affronter M. Lemaire, malgré les difficultés qu'il risquait de rencontrer. Le secret avait assez duré. *Mais après tout*, se dit-il, *les difficultés ne sont pas faites pour nous abattre mais pour être abattues.* C'est avec cette volonté nouvellement acquise qu'Arthur se proposait d'aborder M. Lemaire.

La messe traînait en longueur. Arthur n'en pouvait plus d'attendre l'*Ite missa est* du curé. Sa mission à lui était de ne pas perdre courage et de ne pas s'enfarger dans ses mots quand il discuterait avec M. Lemaire sur le parvis de l'église. Il avait chaud et tremblait; Arthur avait l'impression de jouer sa vie. Dans sa folie, il s'imaginait que s'il recevait une rebuffade, il s'enfuirait avec sa dulcinée, loin, très loin – peut-être même jusqu'à Granby, où il trouverait refuge et travail. Il se voyait monter sur le cheval de son père avec Eugénie collée contre son dos, les bras de celle-ci lui enserrant la taille.

Arthur sortit de sa rêverie quand il entendit le curé prononcer les mots magiques. Il se précipita à l'extérieur pour attendre M. Lemaire. Dès que celui-ci apparut, Arthur l'interpella.

— Monsieur Lemaire, j'aimerais vous parler.

— Bien sûr, jeune homme. Vas-y !

— Avec votre permission, j'aimerais fréquenter votre fille Eugénie, monsieur.

— Il était grand temps que tu te déclares ! s'exclama-t-il. Qu'en pense la principale intéressée, d'après toi ?

Il se tourna vers sa fille rougissante.

— Que dis-tu de cette proposition, Eugénie ?

— Oui, je veux bien, papa ! répondit-elle, les yeux brillants de bonheur.

— Pourquoi ne viendrais-tu pas dîner à la maison, Arthur ? demanda Charles Lemaire. Nous ferions plus ample connaissance.

— C'est avec joie que j'accepte votre invitation, monsieur Lemaire. Je vous remercie !

— Eh bien, suis-nous jusqu'à la maison. Nous ajouterons simplement un couvert.

Arthur Robichaud exultait de joie d'avoir été accepté comme prétendant de la belle Eugénie. Il avait tellement craint ce moment-là qu'il s'était promis de se montrer à la hauteur des attentes de tous les membres de la famille. Il se dirigea vers le hangar où se trouvait son cheval de race canadienne – c'est du moins ce que prétendait Basile. Mais pour Arthur, c'était simplement la Grise parce qu'elle était vieille et que les poils de son museau grisonnaient. Il resserra la ganse de la selle, décrocha le sac d'avoine dans lequel la bête mangeait et la monta. Il suivit la belle carriole des Lemaire avec son toit escamotable en cas de pluie ou de neige. Eugénie ne le quittait pas du regard, au risque de développer un torticolis. Elle lui souriait. Arthur lui rendait la pareille comme autant de promesses de félicité. Il espérait que sa mère ne l'attendrait pas trop longtemps avant de commencer le dîner. Elle comprendrait, ou alors, Basile la rassurerait et lui ordonnerait de procéder avec un sourire complice.

Une fois à la ferme des Lemaire, Arthur aida le maître des lieux à dételer le cheval et à ranger la carriole. Le reste de la famille s'était réfugié dans la maison. Une bonne chaleur réchauffait celle-ci, et une agréable odeur de rôti de bœuf embaumait la cuisine. Une fois débarrassés de leurs manteaux, crémones, mitaines et chapeaux, tous se livrèrent à différentes tâches. Edmond, douze ans, le plus vieux des garçons, alluma un feu dans le foyer du salon. Le jeune Clovis, qui avait neuf ans, se dirigea vers le secrétaire où il entreprit de terminer ses travaux scolaires. Eugénie monta à toute vitesse dans sa chambre pour se refaire une beauté afin d'impressionner Arthur. Pour sa part, la benjamine de la famille, Isabelle, s'amusa avec ses poupées. Mme Lemaire s'assura que le dîner serait à point quand Charles donnerait le signal à tout le monde de s'approcher pour déguster ce délicieux repas dominical. Satisfaite de son allure générale, Eugénie descendit. Elle dressa la table en prenant soin d'ajouter un couvert de plus pour l'invité.

Quelques minutes plus tard, Eugénie entendit son prétendant et son père entrer dans la maison. Ils discutaient des projets de l'année 1896. Charles Lemaire proposa à Arthur de travailler pour lui dès la fonte des neiges – s'il était disponible, bien sûr, et pourvu que cela ne nuise pas aux projets de Basile Robichaud.

— J'en serais honoré, monsieur Lemaire ! Je ne crois pas que ça dérangerait mon père. Il a même proposé de m'acheter un cheval et un *buggy*, si je décidais de travailler pour quelqu'un d'autre.

— Serais-tu prêt à vivre ici, dans les dépendances réservées aux hommes de la ferme ? Tu devrais travailler de longues heures, mais tu serais payé en conséquence. Et je ne suis pas ingrat quand je suis satisfait du travail accompli.

— Je n'en doute pas une seconde, monsieur Lemaire !

— Prendrais-tu un verre de sherry avant de passer à table, Arthur ?

— Je ne sais pas… Nous n'avons pas l'habitude de boire chez nous, sauf dans les grandes occasions.

— Mais c'est une grande occasion, Arthur : c'est la première fois que nous recevons un prétendant pour notre belle

Eugénie, notre aînée. Il faut fêter ça, mon garçon! Passons au salon et versons-nous une rasade de sherry pour chasser le froid qui habite encore nos os et ensuite, nous dînerons. Le rôti sent bon!

Charles Lemaire se dirigea vers le salon sans plus attendre. Devant la desserte, où se trouvaient quelques bouteilles de cristal et des verres de la même qualité, il remplit deux verres d'un liquide rougeâtre. Il en tendit un à Arthur et garda l'autre. Il porta un toast silencieux et vida son verre d'un trait. Il croyait qu'Arthur en ferait autant. Ce dernier hésita, approcha l'alcool de ses lèvres et y goûta. C'était sucré! Sans plus hésiter, il avala le liquide en une gorgée. Il s'étouffa parce que le sherry était plus fort que ce à quoi il s'attendait. Charles Lemaire éclata de son rire tonitruant, satisfait de constater qu'Arthur n'était pas un habitué de l'alcool. Son teint cramoisi le prouvait.

— Ce n'est pas pour les enfants, n'est-ce pas, Arthur?

– J'ai été pris par surprise. Il faut dire que je bois très rarement! C'est assez fort!

— Approchons-nous de la salle à manger avant que ma femme s'énerve. J'ai une faim de loup! lança Charles Lemaire qui riait encore de l'effet de l'alcool sur Arthur.

C'est une bonne chose qu'Arthur boive rarement, pensa-t-il. Il n'aurait pas aimé que sa fille se retrouve avec un ivrogne. Il verrait aussi de quel bois le jeune homme se chauffait durant la belle saison. Bien qu'Arthur ait travaillé pour lui l'été dernier, cette fois ce dernier habiterait sur place, alors il pourrait l'étudier à loisir. Charles aimait sa fille Eugénie comme la prunelle de ses yeux ; il ne manquerait donc pas de voir les faiblesses de son prétendant, si celui-ci en avait. *Et tout le monde en a !* se dit-il.

— Il n'est pas trop tôt, Charles ! s'écria sa femme en l'apercevant. Les enfants sont affamés à un point tel que j'ai dû gronder Clovis qui tentait de dérober un bout de pain. Arthur, assoyez-vous entre les deux garçons. Ainsi, vous aurez toute la liberté de poursuivre votre conversation avec mon époux. Et toi, Eugénie, nous feras-tu l'honneur de nous servir pendant que ton père tranche le rôti ?

— Bien sûr, maman ! Je vous sers en premier ?

— Non ! Occupe-toi d'abord des garçons et d'Isabelle afin qu'ils retournent vaquer à leurs occupations respectives le plus rapidement possible. Cela nous laissera tout le temps de faire plus ample connaissance, n'est-ce pas, Arthur ?

— Bien sûr, madame ! répondit Arthur qui se préparait à subir l'inquisition.

Quand ce fut au tour d'Arthur d'être servi, Charles Lemaire déposa deux tranches épaisses de rôti dans l'assiette, qu'Eugénie nappa d'une généreuse portion de sauce. Elle accompagna le tout de plusieurs légumes aussi tentants les uns que les autres. Arthur se demanda comment il ferait pour manger tout ça.

— Je crois que tu as surévalué mon appétit, Eugénie ! lança-t-il. Si je réussis à avaler toute cette nourriture, j'aurai besoin d'aide pour monter mon cheval… Et je ne souperai sûrement pas.

— Mais si, mon garçon, tu verras ! rétorqua M. Lemaire. Ce sera bon pour ton gabarit. Tu as fait rougir ma fille, jeune sacripant ! Allez, mange !

En contemplant son assiette, Arthur se fit la réflexion que les Lemaire vivaient dans l'abondance. Chez les Robichaud, il y aurait eu de la nourriture pour deux repas. C'est peut-être ce qui expliquait la rondeur de Charles Lemaire. Mais pourtant, le reste de la famille était svelte – à tout le moins les femmes. Arthur était certain qu'il pouvait faire le tour de la taille d'Eugénie avec ses deux mains. Il se résigna à attaquer son assiette. Le jeune homme fut surpris de constater qu'il parviendrait à la vider, s'il ne touchait pas au pain. Il s'efforça de manger lentement, comme les Lemaire, parce que chez lui, manger n'était pas un plaisir, mais une nécessité. Au lieu de consacrer cinq minutes à son repas comme d'habitude, Arthur passa presque trente minutes à table. Les aliments avaient eu le temps de refroidir, mais personne n'en fit de cas. Les plus jeunes demandèrent la permission de se retirer pour reprendre leurs activités. Cette bienséance ne se pratiquait pas chez les Robichaud. Il remarqua que les assiettes n'étaient pas vides à la fin du repas, ce qui aurait été considéré comme un sacrilège chez les Robichaud. Le fautif aurait subi des remontrances de Basile ou d'Olympe. Il n'y avait jamais de reliefs dans les assiettes chez les Robichaud.

— Tu vois, Arthur! s'écria M. Lemaire. Je savais que tu étais capable de manger autant et que tu ferais honneur au repas de ma Reine. Je l'appelle ma Reine, mais son prénom, c'est Marie-Reine. Ma Reine, c'est tellement plus romantique, tu ne trouves pas?

— Vous avez raison, monsieur Lemaire, acquiesça Arthur, se sentant obligé d'approuver celui qui deviendrait peut-être son beau-père.

— Si on traversait au salon pendant que les femmes desservent? Es-tu amateur de cigares, Arthur?

— Je n'ai jamais fumé, monsieur, répondit Arthur.

— Ah non? Moi, j'ai l'habitude de fumer un bon cigare après les repas et de prendre un digestif, généralement un cognac français. Quand les femmes viendront nous rejoindre, je demanderai à Eugénie de nous jouer un peu de piano, et peut-être même de chanter. Elle a une voix d'ange, tu verras!

Quand tout fut rangé dans la salle à manger, Eugénie et sa mère vinrent rejoindre les hommes. Charles Lemaire expliqua ses projets d'expansion et de mise en valeur de nouvelles prairies, celles qu'il cultiverait et celles qui seraient en jachère. Le sujet n'intéressait pas réellement Eugénie et sa mère, ce dont le maître de maison se rendit compte rapidement.

Eugénie aurait volontiers parlé d'amour, tandis que sa mère voulait jauger le jeune prétendant qui avait ravi le cœur de sa fille aînée. Arthur était prêt à répondre à toutes les questions du père et de la mère, mais il aurait aimé se retrouver seul avec Eugénie et lui ouvrir son cœur puisqu'ils n'avaient pratiquement jamais parlé ensemble. Tous deux n'avaient échangé que des politesses en présence d'autres personnes.

Mme Lemaire était impatiente de questionner Arthur. Mais bienséance oblige, elle ignorait comment aborder les sujets qui la préoccupaient. Elle espérait que son mari ou sa fille commencent la conversation, ce qui lui permettrait de pousser plus loin sa curiosité.

— Je crois que nous devrions changer de sujet de conversation, si nous ne voulons pas faire mourir d'ennuis ces dames, déclara Charles Lemaire. Je me doute que ma femme, telle que je la connais, brûle d'envie de sonder tes intentions envers notre charmante fille. J'avoue que moi-même, je suis un peu curieux à cet égard.

— C'est délicat de discuter de mes sentiments envers votre fille sans lui en avoir d'abord parlé, mais je peux vous garantir qu'ils sont des plus convenables et des plus nobles. Même si je suis jeune, je sais me tenir. J'apprécie votre fille depuis l'été dernier, durant lequel j'ai travaillé brièvement ici. Je l'ai trouvée généreuse quand elle nous apportait de la limonade pendant qu'on travaillait aux champs. Eugénie était toujours souriante et avenante.

— C'était son devoir de faire preuve d'hospitalité envers les hommes qui travaillaient aux foins, répliqua Charles Lemaire.

— Peut-être, mais sa bonne humeur m'a charmé. Elle n'avait aucune obligation d'être gentille et pourtant, elle l'était avec tout le monde. Votre fille est un rayon de soleil !

— Vous allez la respecter ? demanda Marie-Reine Lemaire.

— Mes intentions sont chastes et pures, madame.

— Maman ! On ne pose pas ce genre de questions, voyons ! s'exclama Eugénie, gênée par ces propos.

— J'ai appris de ton père à parler sans détour, et je l'en remercie. La chasteté est essentielle dans les bonnes familles comme la nôtre, et c'est important que ce soit bien clair pour ce jeune homme – aussi charmant soit-il.

— Cela va de soi, fit Charles. Et je suis convaincu qu'Arthur l'avait compris à la façon qu'il m'a demandé s'il pouvait fréquenter notre fille. Un manant prend sans demander, c'est bien connu, n'est-ce pas ?

Arthur était un peu mal à l'aise, mais il trouvait normal que les parents d'Eugénie s'inquiètent et mettent les choses au clair. Chasteté était synonyme de virginité, et il avait l'intention d'épouser une vierge. Il respecterait sa parole. Il aimait trop Eugénie pour abuser d'elle de quelque façon que ce soit. Que Dieu l'en protège !

Les parents parurent satisfaits de son attitude sincère. Ils limitèrent leur interrogatoire en se disant qu'il y aurait une surveillance accrue dès qu'Arthur habiterait dans les quartiers réservés aux hommes engagés – qui, pour la plupart, n'étaient que des employés saisonniers.

— Si tu nous jouais un peu de piano, Eugénie? proposa Charles Lemaire. Ce serait très agréable.

— Je ne pratique plus beaucoup depuis un certain temps, papa. Je me suis mise à la broderie et prépare tranquillement mon trousseau.

— Tu as bien du temps devant toi, ma fille! déclara sa mère.

— La plupart de mes anciennes compagnes de classe sont mariées ou sur le point de convoler, maman.

— Ça n'a pas de sens! Des enfants! Tu n'as même pas dix-sept ans. Avant vingt ans, il n'y a aucune urgence, pas vrai, Charles?

— Ne m'entraîne pas dans des conversations stériles, ma Reine. «Le cœur a ses raisons que la raison ne connaît point», comme le disait si bien Pascal.

— Ne te lance pas dans les grandes citations, Charles, je t'en prie! Il s'agit d'une conversation sérieuse.

— As-tu oublié quel âge tu avais quand nous nous sommes mariés?

— J'avais dix-huit ans, et tu en avais vingt. Pas dix-sept!

— Calme-toi, ma Reine! Eugénie et Arthur ne sont pas encore mariés. Ils se connaissent à peine…

Puis Charles s'adressa à sa fille:

— Installe-toi au piano, Eugénie, et joue-nous un de tes plus beaux morceaux. Ou encore mieux, tiens! Pourquoi ne chanterais-tu pas en t'accompagnant au piano?

Il lui fit un clin d'œil, laissant ainsi sous-entendre que cela ferait taire sa mère.

— Excellente idée, papa! Ce sera plus facile de chanter une petite ballade que de m'attaquer à la musique classique.

Sans attendre, Eugénie prit place au piano et s'exécuta. Arthur n'avait jamais rien entendu d'aussi beau. La voix de la jeune femme était soprano léger, ce qu'Arthur ignorait. Il ne connaissait rien à la musique, mais il appréciait grandement la beauté de la voix d'Eugénie, qui pouvait monter dans les notes aiguës si la chanson l'exigeait. Charles prit le bras de sa femme et entraîna celle-ci hors du salon. Il jugeait convenable de laisser un peu d'intimité aux deux tourtereaux. Ces derniers ne s'aperçurent pas du départ du couple. Quand Eugénie finit sa chanson, Arthur se mit à applaudir, impressionné par son talent. Elle lui paraissait encore plus précieuse. Pouvait-il seulement penser conquérir une telle femme? Il n'avait rien d'exceptionnel à lui offrir, sinon son amour immense. Arthur s'approcha d'Eugénie, lui toucha le bras. Il ressentit comme une décharge électrique tellement il était épris. La jeune femme se retourna ; elle vit que ses parents avaient quitté le salon. Elle posa sa main sur celle d'Arthur, qui était chaude. Elle ne voulait pas qu'il la retire, sinon pour l'enlacer.

— Je suis très impressionné par ton talent, Eugénie. Tu ressemblais à un ange pendant que tu chantais. Tu rayonnais ! Un grand frisson m'a parcouru en t'admirant.

— Moi, c'est tout le contraire ! Une onde de chaleur m'a envahie quand tu m'as touché le bras. S'il te plaît, embrasse-moi pendant que nous sommes seuls ! J'en rêve depuis l'été dernier, et tu hantes mes nuits. Embrasse-moi tout de suite !

Arthur fut surpris par tant de fougue, mais il ne put résister à la tentation. Il prit le visage d'Eugénie entre ses mains calleuses et déposa un léger baiser sur ses lèvres. Quelle ne fut pas sa surprise quand elle passa ses bras autour de sa taille et se pressa fortement contre lui. Ce petit baiser ne pouvait assouvir le désir d'Eugénie. Elle libéra une de ses mains pour caresser la nuque d'Arthur et accentuer la pression sur ses lèvres. Elle entrouvrit sa bouche pour qu'il sente son souffle chaud. Son haleine était fraîche et irrésistible ; Arthur embrassa sa dulcinée avec plus de conviction. Quand il prit conscience de son érection, il desserra son étreinte. Mais Eugénie refusait qu'il s'éloigne. Elle percevait cette protubérance comme un hommage à sa beauté, elle qui s'était toujours trouvée trop petite pour plaire. Elle était en feu.

Chapitre 2

L'intimité croissante entre Arthur et Eugénie devenait problématique. Cette dernière provoquait des rapprochements qui créaient un grand malaise dans le cœur d'Arthur. Ce dernier voulait respecter sa parole envers Charles Lemaire. Mais comment résister à l'appel de l'élue de son cœur sans la contrarier? Arthur était si sage que sa bien-aimée commençait à douter de la force de son amour. Il avait beau la rassurer, elle restait sceptique.

— As-tu si peur de mon père que tu n'oses même plus me regarder? lui demanda Eugénie.

— Il faut que tu comprennes que je suis un employé de ton père, répliqua Arthur. Quand je travaille, je dois me concentrer sur mon ouvrage. Je ne peux pas me permettre d'être distrait par ta beauté.

— Oui, mais ça ne justifie pas que tu m'ignores quand ta journée de travail est terminée.

— J'ai l'impression que tout le monde m'épie, même tes petits frères! Mets-toi à ma place un peu. Je dois gagner la confiance de tes parents et leur prouver que je suis un homme fiable. Si tu savais à quel point je t'aime et te désire…

— Moi, je me sens comme un volcan sur le point d'exploser. Est-ce que tu te caresses parfois en pensant à moi, Arthur?

— Tu ne peux pas me demander ça, Eugénie, voyons ! C'est indécent !

— Tu refuses de répondre ? Redouterais-tu les foudres de Dieu ? Moi, je n'ai pas peur de t'avouer que je me caresse parfois en pensant à toi. Je m'en suis confessée au curé, mais il m'a semblé trop curieux pour être honnête. Je ne lui ai dit que le strict minimum.

— Tu as eu raison de te méfier.

— Je me suis confessée dans ta paroisse, alors je ne crois pas qu'il me connaisse. Embrasse-moi et serre-moi dans tes bras pour que tu sentes mes seins s'écraser sur ta poitrine.

Arthur était bouche bée. Il rêvait depuis des mois d'embrasser goulûment Eugénie et de sentir ses seins contre lui. Il avait peur que quelqu'un les surprenne, sa dulcinée et lui. Mais dans l'étable, avec un simple fanal pour tout éclairage et loin des fenêtres, le risque était presque nul. En même temps, il craignait de ne pas être capable de se contrôler face à une amoureuse qui l'incitait à des débordements passionnés. Pour les deux tourtereaux, il s'agissait de leurs premières expériences amoureuses. Ils étaient comme des chevaux fougueux qui découvraient la vaste prairie qui s'offrait à eux et galopaient jusqu'à l'épuisement. Ils étaient puceaux, mais le désir les assaillait et devenait presque un supplice. Arthur et Eugénie s'embrassèrent à en perdre haleine, leurs mains s'égarant parfois pour tenter d'assouvir le volcan qui coulait dans leurs veines. Mais la raison les sauvait tour à tour, tel un barrage qui refusait de céder.

— Arthur ! Arrêtons avant qu'il… soit trop tard. Je te désire plus que tout, mais la notion de péché me torture.

— Crois-tu que tu sois la seule à souffrir, Eugénie ? Je vais devenir fou si ça continue comme ça ! Retourne à la maison et laisse-moi terminer mon travail. Tes parents vont s'inquiéter de ta trop longue absence…

— Tu as raison, Arthur, mon chéri. Mais je veux un dernier baiser avant de partir !

— Ce sera le dernier pour le moment parce que je n'aimerais pas que ton père nous prenne sur le fait.

— S'embrasser, ce n'est pas un péché. Je ne crois pas que mon père en ferait tout un plat.

— Je n'ai pas le goût de prendre une chance, formula Arthur. Un petit bec et file à la maison ! ajouta-t-il avec l'air de la réprimander.

Eugénie, encore très gamine, s'exécuta. Puis elle sortit précipitamment de l'étable en riant. Ils avaient joué avec le feu et Arthur en était parfaitement conscient, mais c'était difficile de résister au charme d'Eugénie. Elle avait une odeur de fruit défendu dans lequel il finirait par mordre si elle continuait à l'aguicher.

— Te voilà enfin, Eugénie! s'exclama sa mère. Je te trouve un peu négligente, ces temps-ci, quand vient le temps des travaux ménagers, lui reprocha-t-elle.

— Tu as raison, maman. C'est le printemps qui me tourne la tête!

— J'ai plutôt l'impression que c'est le beau Arthur qui t'étourdit.

— Laisse-la donc tranquille, ma Reine! intervint son mari. Le printemps, c'est grisant quand la nature s'éveille. Rappelle-toi quand tu avais l'âge d'Eugénie.

— Encourage-la à ne pas m'aider, tant qu'à y être! Tu lui mets des idées folichonnes dans la tête au lieu de la gronder. Et je te ferai remarquer que j'étais plus vieille qu'elle quand j'ai commencé à te fréquenter. De plus, il y avait toujours un chaperon pour te surveiller…

— Pour me surveiller? Dans ce cas, pourquoi te plaignais-tu du chaperon qui nous empêchait de nous embrasser?

— Tais-toi, malheureux! lui lança son épouse. Notre fille n'a pas à savoir ces choses-là.

Arthur termina ses travaux. Mais son érection revenait dès qu'il pensait à Eugénie. Il avait même osé lui caresser un sein, qui était ferme et bien rond. Il aurait tout donné pour voir ce sein et l'embrasser. Il alla s'étendre dans le foin de la tasserie et sortit son organe turgescent pour libérer la pression; sinon, il ne pourrait pas dormir s'il allait se coucher tout de suite. Arthur imaginait le corps d'Eugénie dans toute sa nudité, dans toute sa splendeur. Il fantasma que c'était sa main à elle qui le caressait. Ce fut très bref, et il se répandit en gémissant. Soulagé mais honteux, il se promit de ne plus recommencer et de se confesser à la messe, dimanche prochain.

Eugénie, de son côté, se réfugia dans sa chambre. Elle s'installa à son secrétaire pour écrire dans son journal intime. Elle était surexcitée par ce qu'elle venait de vivre avec l'élu de son cœur. Elle avait conscience d'avoir joué avec le feu, mais elle avait le goût de se brûler. Cependant, elle craignait que si elle offrait son corps à Arthur, ce dernier ne la respecterait plus. Et si elle se limitait aux caresses les plus intimes sans renoncer à sa virginité ? Comment réagirait-il ? Certaines de ses amies avaient fait l'amour avec leur prétendant et elles se marieraient avant la fin de l'année. Par contre, Agathe avait été abandonnée par son amoureux après lui avoir cédé. Ce dernier lui avait fait une mauvaise réputation. Eugénie ne croyait pas qu'Arthur soit ce genre d'homme. Il la désirait, mais il l'aimait vraiment, elle en était persuadée.

Eugénie se déshabilla et se regarda dans le grand miroir. Elle se trouvait trop menue. Toutefois, elle était certaine qu'Arthur aimerait ses seins, les cajolerait et les embrasserait s'il en avait la possibilité. À cette seule pensée, ses mamelons se dressèrent. Elle se tourna pour admirer ses fesses. Elle les trouvait bien petites, tout comme sa taille. La mode était aux femmes plus en chair. Pourtant, Eugénie avait un bon appétit et se sentait vigoureuse. Elle flatta les poils soyeux de sa toison. C'était doux au toucher, mais trop près de son sexe qui ne demandait qu'à être caressé.

La jeune femme enfila sa jaquette. Elle se mit à genoux au pied de son lit pour faire sa prière. Elle demanda à Dieu de s'arranger pour qu'elle puisse épouser son bel Arthur si viril qu'elle aimait follement, avant de réciter un *Notre Père* et un *Je vous salue Marie*. Eugénie se coucha, mais son esprit refusait de s'apaiser, trop occupé à élaborer des projets futurs. Elle se tourna sur le côté et plaça un oreiller entre ses cuisses. C'était un jeu dangereux, car elle le serrait avec force comme si c'était Arthur qui pressait son clitoris. Dans un mouvement de va-et-vient, Eugénie se sentit défaillir en émettant de petits cris étouffés. Un sentiment de culpabilité l'envahit. *Je n'ai rien fait de mal,* pensa-t-elle. Elle sombra rapidement dans le sommeil et rêva à son bien-aimé.

Le lendemain, la vie reprit son cours. Arthur était aux champs et travaillait fort. Eugénie était très joyeuse, à un point tel que cela suscita l'intérêt de sa mère.

— Qu'est-ce qui te rend si rayonnante aujourd'hui, ma fille?

— Il fait tellement beau! N'est-ce pas une raison suffisante de se réjouir? On sent poindre l'été et bientôt, on pourra se baigner dans la rivière.

— Ton père m'a justement dit qu'Arthur s'était lancé à l'eau tout habillé pas plus tard qu'hier. Étais-tu au courant?

— Il ne me dit pas tout, maman. Le moins qu'on puisse dire, c'est qu'il n'est pas frileux!

— Que je ne t'y prenne pas! Tu pourrais attraper la crève… Laisse cet irresponsable jouer avec sa santé.

— Arthur avait sûrement eu très chaud en travaillant. Il m'a déjà raconté que chez lui, c'était une tradition de se baigner le matin de Pâques et de cueillir de l'eau pour la famille.

— Jeune fou! lança sa mère sans aucune retenue.

— C'est le privilège de la jeunesse de se sentir invincible, maman!

— S'il veut écourter sa vie, libre à lui. Mais je te supplie de ne pas te laisser entraîner dans ce genre d'activités!

Voulant mettre un terme à la conversation, Eugénie déclara:

— Ne t'en fais pas! Maintenant, je vais aller nourrir les poules et ramasser les œufs.

Secrètement, la jeune femme rêvait de se baigner seule avec Arthur. Elle rêvait de s'étendre sur la berge et d'être réchauffée par le corps musclé de son bien-aimé. Oserait-il la caresser comme elle le souhaitait tant? Elle attendrait le moment propice. Sa mère avait raison de dire qu'elle était rayonnante. En effet, Eugénie planifiait un événement auquel Arthur n'échapperait pas. Ce n'était pas par malice, mais par amour qu'elle lui tendrait un piège. La seule arme qu'elle possédait, c'était sa détermination, croyait-elle – la jeune femme oubliait sa beauté, qui rendait fou son amoureux. Ce dernier n'était pas de taille à se défendre contre une telle arme.

Vers la fin de la journée, Eugénie chercha du regard l'élu de son cœur. Ne le voyant nulle part, elle se rendit à l'écurie et sella son cheval préféré pour aller faire une balade dans les environs de la ferme. La journée était chaude et le soleil, ardent. La nature était en folie ; Eugénie ressentait vivement cette explosion. Elle galopait tout en scrutant l'horizon à la recherche de l'être aimé. Elle avait l'intention de profiter de l'absence de son père et de sa mère, partis à Bedford pour régler quelques affaires chez le notaire, afin de mettre son projet à exécution.

Soudain, Eugénie repéra une silhouette qu'elle aurait reconnue entre mille. Arthur ! Aussitôt, un sourire éclaira sa frimousse et elle éperonna sa monture pour que celle-ci accélère au rythme de son cœur qui battait la chamade. Arthur entendit le martèlement des sabots ; un cheval approchait rapidement. Il pensa qu'un accident s'était produit à la ferme, ou quelque autre affaire grave, et qu'on avait besoin de son assistance. Après s'être retourné, il reconnut la cavalière. Arthur était de plus en plus inquiet, pensant à sa famille. Mais quand Eugénie fut assez proche pour qu'il puisse distinguer son visage, il comprit à son sourire qu'aucun malheur n'était survenu.

Remarquant la mine défaite de son Arthur, Eugénie tira sur les guides de toutes ses forces.

— Ne me fais plus jamais une frousse pareille, Eugénie ! clama le jeune homme. J'ai pensé au pire…

— Je me suis laissé entraîner par l'ivresse de la cavalcade sauvage de mon cheval, dit-elle, ignorant sa colère. Je crois qu'il avait besoin de vérifier sa vitalité !

— Tu n'es pas sérieuse, Eugénie ! rétorqua Arthur, qui ne semblait pas vouloir se calmer. Si ton cheval était passé dans un trou de marmotte, tu aurais pu te rompre le cou. Ne fais plus jamais ça !

— Excuse-moi, Arthur, je ne voulais pas t'inquiéter ! formula-t-elle. Viens plutôt m'embrasser…, ajouta-t-elle en sautant de cheval comme une véritable amazone.

Arthur trouvait Eugénie magnifique avec ses joues en feu. Il la souleva dans ses bras et la fit tourner dans les airs. Il fut surpris de sa légèreté. Il l'embrassa fougueusement, comme s'il avait perdu toute volonté. Eugénie le serrait avec tant de vigueur qu'il comprit que sa fragilité n'était qu'une image projetée par sa taille minuscule. Elle était beaucoup plus forte que sa mère le croyait. Arthur était tout en sueur, ce qui ne semblait pas déranger Eugénie.

— Si on allait se baigner, Arthur ? dit-elle en le tirant par le bras. Tu as travaillé fort et j'ai une bouffée de chaleur, alors ça nous ferait du bien.

— C'est trop risqué, Eugénie. Si ton père arrivait, on aurait l'air fins…

— Mes parents sont partis à Bedford et ne reviendront qu'après le souper. Il n'y a aucun risque de nous faire prendre.

— Tu es sûr que c'est ce que tu veux, Eugénie ? Tu n'as même pas de maillot.

— Je garderai mes sous-vêtements. Cesse de résister et viens-t'en !

Arthur abdiqua. Il prit Eugénie par la main, tenant de l'autre la bride du cheval. La rivière était tout près. On entendait le clapotis de l'eau, et l'odeur caractéristique des berges et la fraîcheur qui se dégageait de celles-ci étaient perceptibles. Arthur était excité à l'idée de voir sa promise dans ses sous-vêtements mouillés. Une fois au bord de la rivière, Eugénie se déchaussa et fit glisser sa robe au sol, puis elle se précipita courageusement dans l'eau. Arthur avait à peine eu le temps d'enlever ses bottines que, déjà, sa promise nageait au milieu de la rivière. Telle une naïade, elle se déplaçait dans l'eau en l'observant.

— Qu'est-ce que tu attends ? Je vais sortir de l'eau, si tu ne viens pas me réchauffer tout de suite…

— Ne bouge pas, j'arrive ! répondit Arthur qui bataillait avec son pantalon.

Après s'être jeté à l'eau, il s'exclama :

— Brrr ! Elle est très fraîche en effet !

— Viens te coller contre moi, répondit Eugénie. Peut-être qu'à deux, on réussira à chasser le froid ?

Arthur s'accrocha à sa belle et la serra dans ses bras, tout en lui frictionnant le dos. Il sentait les pointes durcies de ses seins ; il eut une réaction semblable. Eugénie perçut son désir. Elle l'encercla de ses jambes et l'embrassa avec une ardeur qui dépassait toute pudeur. Fou de convoitise, Arthur prit dans ses mains les fesses de la jeune femme.

— On doit cesser ce petit jeu-là immédiatement, Eugénie. Je ne me contrôle plus !

Elle le fit taire en couvrant sa bouche de ses lèvres. L'organe d'Arthur se pressait contre sa vulve, qui n'était protégée que par son sous-vêtement. Elle s'y frotta tant que le jeune homme craignit d'éjaculer ; ce mouvement l'excitait au plus haut point. Il tenta de se détacher d'elle, mais elle s'accrochait désespérément à lui. Elle ne le laissait même pas parler. Soudain, Eugénie émit un couinement et se raidit, serrant encore plus fort la taille d'Arthur. Puis elle se décolla du jeune homme et revint vers la rive, où elle s'étendit sur l'herbe tendre.

À bout de souffle, Eugénie ferma les yeux. Arthur sortit à son tour et s'étendit à côté d'elle.

— Est-ce que ça va ? s'informa-t-il.

— Prends-moi !

— Je ne peux pas ; j'ai promis à ton père de te respecter, répondit-il à contrecœur.

— Prends-moi, je t'en supplie !

— Tu me fais vivre l'enfer, ma chérie !

— Retire-moi ma camisole et caresse mes seins. J'en ai tellement envie !

Quelques instants plus tard, Eugénie murmura :

— Oui, c'est bon… Avec ta bouche, maintenant… Ouiii !

Arthur perdit tout contrôle sur lui-même devant tant de beauté exposée à sa vue, à ses mains, à sa bouche. Il caressait les seins d'Eugénie avec vigueur. Puis il descendit jusqu'à son pubis, mais sans délaisser ses seins si magnifiques. N'y tenant plus, il s'attaqua à la culotte d'Eugénie. Celle-ci se souleva un peu pour lui faciliter la tâche. Dès qu'il vit le sexe de la jeune femme, il y posa sa bouche voracement, pris d'une folie passagère. Eugénie se contenta de l'inciter par des gazouillis d'encouragement. Elle lui caressa les cheveux, puis les tira pour inciter Arthur à plus de témérité.

— Vite, je veux te sentir en moi !

Arthur baissa son caleçon. Mais n'ayant aucune expérience, il s'avérait très malhabile. Eugénie, qui le guidait avec sa main, fut très surprise – et même presque paniquée – par la grosseur de la masse de chair qu'elle tenait.

— Mon Dieu! Crois-tu qu'on pourra l'entrer dans mon vagin? J'ai peur!

— Je ne sais pas, Eugénie. Je suis puceau, moi aussi. Mais je sais que c'est comme ça que ça se fait; j'ai vu l'étalon et la jument en action. Veux-tu que j'arrête?

— Il est trop tard, maintenant. Nous irons jusqu'au bout en faisant attention. Il paraît que c'est normal de ressentir un peu de douleur la première fois. Vas-y doucement, je t'en prie!

Arthur tremblait. Il ne savait pas si c'était de peur ou d'excitation – probablement un mélange des deux. Il avait l'impression de jouer son avenir dans ce geste à la fois si commun et exaltant chez la plupart des couples. Il avait peur de blesser Eugénie, mais ne voyait pas d'autre issue. La main chaude de cette dernière tenait encore son pénis, mais il ne savait pas si c'était pour l'encourager ou le retenir. Il se fia à l'instinct de sa promise et doucement, tout doucement, il se retrouva à l'intérieur d'un écrin de velours. Il n'osait pas bouger, mais Eugénie chercha sa bouche et exerça un léger mouvement des reins. C'était le signal. Arthur se répandit en elle. Il eut l'impression que son cerveau explosait et que ses mains étaient incapables d'exprimer toute sa gratitude.

Après, les tourtereaux se reposèrent, enlacés dans les bras l'un de l'autre. Ils songèrent au poids de leur geste. Arthur avait éjaculé sans se retirer ni penser aux conséquences. Soudain, il prit peur.

— Qu'avons-nous fait ?

— Ce que je désirais depuis la première fois où je t'ai vu. Je te voulais juste pour moi. Mais dis-moi que tu vas m'épouser !

— J'ai sali ta réputation, Eugénie, et je t'ai peut-être mise enceinte. Je m'en veux de ne pas avoir été capable de résister à la tentation, mais le mal est fait.

— Je suis aussi coupable que toi, sinon plus, mais je n'ai aucun regret. Je ne crois pas que je puisse tomber enceinte si vite ?

— Il suffit d'une seule fois, si je me fie à la jument. Mais ça ne marche pas à tout coup. Prions pour que nous ne devenions pas parents dans neuf mois !

Par superstition, Arthur se signa du signe de la croix.

— Tu ne veux pas m'épouser ? jeta Eugénie en faisant la moue.

— Bien sûr que je veux t'épouser, ma chérie, mais je préfé-rerais ne pas y être obligé.

— Si tu ne veux pas te marier avec moi, personne ne peut te forcer.

— Ce n'est pas ce que j'ai voulu dire, Eugénie. Je voudrais que nous puissions suivre le cours normal des choses en annonçant nos fiançailles et en respectant les délais prescrits.

— Il n'y a aucun délai prescrit, sauf pour les grenouilles de bénitier! répliqua-t-elle.

— Bien sûr qu'il y en a! Tes parents et les miens s'attendent à ce qu'on annonce nos fiançailles entre six mois et un an avant les noces. En premier lieu, ça dépendra si je suis accepté dans ta famille. Mais avec ce qu'on vient de faire, il se peut qu'on force la main de tes parents.

— Tant mieux, dans ce cas! Je ne veux marier personne d'autre que toi.

— Souhaitons que tu ne tombes pas enceinte avant le mariage. Je n'aimerais pas subir les foudres de ta mère, ni les reproches de ton père. Il ne faut plus qu'on succombe, tu comprends?

— C'est trop tard, Arthur; le mal est fait. Si on recommence, cela ne changera rien. J'ai perdu ma virginité, et toi, la tienne…

— On ne se brûle pas à tous les coups quand on joue avec le feu. Ne courons pas après les ennuis, ma chérie!

Eugénie et Arthur avaient consommé le fruit défendu. Les jours passèrent, remplis d'inquiétude pour Arthur. Il craignait le scandale. Ce qu'il appréhendait par-dessus tout arriva : il avait mis l'élue de son cœur enceinte. Eugénie et lui avaient cédé à la passion sans même se protéger.

Chapitre 3

Arthur se devait d'affronter Charles Lemaire afin de lui annoncer la grossesse d'Eugénie. Ce qui le troublait le plus, c'était de reconnaître sa trahison devant l'homme qui l'avait toujours traité comme son propre fils. Il retardait la confrontation, car il craignait le pire. M. Lemaire était un homme puissant, et sa vengeance se révélerait terrible s'il décidait de le punir. Arthur attendait son châtiment avec appréhension, à laquelle se mêlait un certain degré d'incrédulité. Comment pouvait-il être si malchanceux ?

— Es-tu sûre d'être enceinte, Eugénie ?

— Oui, Arthur. Le mois passé, je n'ai pas eu ma période. Il faut que tu demandes ma main à mon père avant que je devienne la risée du village. Mon père ne te le pardonnerait jamais.

— D'accord ! D'accord ! Mais je dois t'avouer que je n'ai jamais eu si peur de ma vie, même quand j'ai eu à affronter les adversaires les plus costauds. C'est la honte qui me paralyse…

— Souviens-toi qu'une faute avouée est à demi pardonnée. Je me sens coupable, moi aussi. Ma mère va vouloir me lapider pour avoir cédé à mes pulsions. Elle devinera que c'est moi qui t'ai provoqué, alors elle t'en voudra seulement pour avoir cédé.

— Peut-être. Mais ton père se sentira trahi et ne me fera plus jamais confiance, batinse de batinse !

— Arthur, ta colère ne réglera rien.

— Tu as raison. Laisse-moi le temps de prendre mon courage à deux mains et je lui parlerai.

— Fais comme tu veux, mon chéri. Cependant, rappelle-toi que chaque jour qui passe risque de révéler notre secret. N'oublie pas que ma mère a l'œil vif !

— Je sais tout ça…

Arthur l'embrassa, puis il retourna à l'écurie. Il avait besoin de réfléchir. Quand il affronta Charles Lemaire, Eugénie n'avait pas eu ses menstruations depuis deux mois.

— Monsieur Lemaire, j'ai commis une faute irréparable.

— Il n'y a rien d'irréparable, mon cher Arthur. Au pire, le matériel se remplace. Qu'as-tu donc fait qui te mette dans un tel état ?

— J'ai manqué à ma parole, monsieur Lemaire.

— Mais encore ? demanda ce dernier, qui dépassait d'une tête le pauvre Arthur.

— Votre fille et moi, nous nous sommes baignés dans la rivière. Et… et…

— Qu'est-ce que tu cherches à me dire ? cria M. Lemaire d'une voix de stentor.

— Nous avons fait l'amour, répondit piteusement Arthur, la tête basse.

Rouge de colère, au bord de l'apoplexie, le père d'Eugénie se demandait s'il ne se trouvait pas en plein cauchemar. Il essayait d'assimiler la révélation d'Arthur, mais il n'y parvenait pas. Charles Lemaire voulait s'exprimer, mais il manquait d'air. Finalement, il reprit son souffle et put questionner le malandrin.

— Tu m'as trahi et tu as manqué à ta parole, canaille ! Tu t'es dit que si tu compromettais la fille du patron, je n'aurais d'autre choix que de t'accorder la main d'Eugénie, c'est ça ?

— Ce n'était pas prémédité, je vous le jure ! J'adore votre fille depuis le premier jour où je l'ai vue sur le parvis de l'église. Elle m'aime, elle aussi, mais j'ai bien peur qu'elle soit enceinte…

Charles Lemaire tenait à peine sur ses jambes, comme s'il avait reçu un *uppercut* sur la mâchoire. Il vacilla avant de se laisser tomber dans son fauteuil. Quelle faute avait-il commise pour qu'Eugénie – qui n'était encore qu'une enfant à ses yeux – se laisse ainsi séduire ? Il la savait précoce et un brin malicieuse. Se pouvait-il qu'elle ait entraîné Arthur à commettre l'irréparable ? Celui-ci était le meilleur travaillant qu'il avait embauché de toute sa vie, et sa fille l'aurait provoqué ? Que dirait Marie-Reine en apprenant la nouvelle ? Elle ferait sûrement une syncope et renierait sa fille. Toutefois, Charles aimait Eugénie plus que tout. Son aînée lui rappelait sa Reine plus jeune, mais en plus menue. Toutes deux possédaient la même fougue. D'ailleurs, l'homme se rappela que c'était son épouse qui l'avait choisi, lui, et non l'inverse. Chaque jour, il remerciait le Seigneur de lui avoir permis de connaître un bonheur sans faille à ses côtés. Peut-être qu'Eugénie avait utilisé le même stratagème que Marie-Reine, mais en allant plus loin ?

— Je vais demander à Eugénie et à sa mère de nous rejoindre pour mettre les choses au clair. Je crains la réaction de ma femme, mais elle devra accepter l'inéluctable réalité. Il faudra agir rapidement afin d'éviter le scandale.

— Je suis tellement désolé, monsieur Lemaire, de vous faire vivre une telle situation. Je sais que je mérite votre mépris.

— Trêve de balivernes, Arthur ! fit-il. La faute a été commise, maintenant, il faut la réparer.

Ensuite, il interpella sa femme :

— Reine, ma chérie ! Viens me rejoindre au salon avec Eugénie. On doit régler une affaire qui la concerne.

— Qu'y a-t-il de si urgent ? répondit sa femme qui était à l'étage.

— Je t'en prie, ma Reine, trouve Eugénie, s'il te plaît! C'est très important.

Marie-Reine partit à la recherche de sa fille. L'air songeur, cette dernière se balançait.

— Eugénie, ton père veut nous voir. Il est avec Arthur dans le salon. As-tu une idée de la raison de cette rencontre? Cela semble très sérieux…

— Je ne sais pas, maman.

Les joues d'Eugénie s'empourprèrent, mais sa mère n'eut pas le temps de la questionner. Marie-Reine pressentait l'urgence de la situation. Peut-être le jeune homme avait-il proposé d'épouser Eugénie? Elle était intriguée.

— Vous voilà finalement! s'écria Charles dès que sa femme et sa fille entrèrent dans le salon. Je te conseille de t'asseoir, Marie-Reine, car ce qu'Arthur vient de me révéler va te donner un choc. Et toi, Eugénie, viens près d'Arthur. Ensuite, tu corroboreras ses paroles. On vous écoute! termina-t-il avant de rejoindre sa femme sur le divan et de lui prendre la main.

Arthur aurait voulu disparaître. Il saisit la main d'Eugénie pour se donner du courage. Ses propos détermineraient leur avenir, à Eugénie et lui. Il jeta un regard rapide à sa bien-aimée avant de se lancer.

— J'ai manqué à ma promesse en faisant l'amour à votre fille. Je suis prêt à réparer l'offense en l'épousant.

— Tu as osé abuser de ma fille et tu proposes de l'épouser ? hurla Mme Lemaire, toute blême. Tu es un goujat, Arthur Robichaud, et j'espère que mon mari t'a renvoyé ! Tu as ruiné l'avenir de ma fille en lui volant sa vertu.

— J'étais consentante, maman, j'ai même provoqué Arthur. Mais il y a plus grave : je suis enceinte.

— Tais-toi ! répliqua sa mère. C'est à l'homme que revient le devoir de se contrôler. Arthur est coupable de t'avoir séduite.

— Je viens de t'expliquer que c'est moi qui l'ai séduit, et non pas l'inverse. Je n'ai aucun regret. J'aime Arthur plus que tout et je porte son enfant avec fierté.

Mme Lemaire éclata en sanglots. Elle semblait inconsolable. Son mari lui tapota la main pour la calmer. Ensuite, il s'exprima comme l'homme pragmatique qu'il était.

— Il ne sert à rien de pleurer, ma Reine. Il faut sauver l'honneur de la famille. Il n'y a qu'une solution : c'est de marier au plus vite Eugénie et Arthur. D'après celui-ci, notre fille est enceinte de presque deux mois.

— Tu te fies aux dires d'un gredin ? Je ne te reconnais plus, Charles. À partir de maintenant, je resterai entre mes quatre murs. Je refuse de m'exposer aux ragots du village.

— C'est la raison pour laquelle il faut les marier au plus sacrant! De toute évidence, Arthur et Eugénie s'aiment. Toutefois, il faut les unir ailleurs qu'ici, soit à Frelighsburg ou à Bedford. Je me charge d'appeler les curés.

— Tu veux marier notre fille à ce poltron?

— Nous nous sauverons tous les deux, si vous refusez de bénir notre union! proféra Eugénie. Nous irons vivre à Granby et vous ne verrez pas grandir votre petit-fils.

— Tais-toi, misérable! vociféra sa mère. Et comment sais-tu que tu portes... le fruit du péché?

— Il faut être pratique, ma Reine, intervint Charles. Pour le mariage, le samedi 7 septembre m'apparaît comme une bonne date. C'est dans un mois. L'enfant pourrait naître prématurément...

Et moi qui rêvais d'un grand mariage pour ma fille! rétorqua sa femme. Finalement, on va la marier en cachette.

— N'exagère pas, ma Reine. La situation est déjà assez grave. Je vais contacter les deux curés et, par la suite, on avisera.

— Je ne veux plus de ce vaurien dans ma maison!

— Il habite dans les dépendances réservées aux employés, riposta Charles Lemaire. J'ai besoin de lui.

— Je retournerai chez mes parents et j'agrandirai la maison pour nous loger, Eugénie et moi. J'ai déjà discuté avec mon père de la possibilité de m'installer sur la terre familiale. Il m'avait répondu qu'elle me reviendrait de droit quand il prendrait sa retraite.

— C'est une bonne idée que vous partiez ! émit Mme Lemaire.

— Ce sera donc comme vous le souhaitez, madame, conclut Arthur.

Il serra la main d'Eugénie. Cette dernière l'enlaça et chercha sa bouche avec frénésie. Arthur la repoussa délicatement. Il ne voulait pas ajouter le mépris à l'injure aux yeux de Mme Lemaire en embrassant sa fille devant elle.

— Je ne veux pas que tu me quittes, Arthur !

— Je vais aller préparer ton arrivée chez mes parents, Eugénie. Ils subiront un choc, eux aussi. Et agrandir la maison, ça représentera pas mal de travail. Je ne pourrai pas compter sur l'aide de mon père, car le mois d'août est très occupé sur une ferme, comme tu le sais. Je me débrouillerai pour que tout soit prêt pour t'accueillir après notre mariage, même s'il faut que je travaille jour et nuit !

Les propos de son futur gendre émurent Charles Lemaire. Sa colère se transforma en pitié ; il chercha une façon de prêter main-forte à Arthur. Il avait cru sa fille lorsqu'elle avait affirmé qu'elle avait provoqué cette terrible bêtise. Il trouverait bien une façon d'aider le couple, même s'il devait agir à l'insu de sa femme. Tiens! Et s'il engageait un menuisier?

Pressé de quitter le salon des Lemaire car sa fiancée pleurait, Arthur salua son futur beau-père d'un simple geste de la tête. Après avoir cueilli ses effets personnels dans les dépendances, le jeune homme poussa son cheval au trot sans se retourner, le cœur déchiré. Quand il arriva chez lui, il expliqua à son père la situation. Son paternel se montra compatissant et, dans un geste de solidarité, lui passa le bras autour des épaules. Arthur avait besoin de sentir que quelqu'un le soutenait, surtout son père.

— Laisse-moi parler à ta mère; elle comprendra, elle aussi, déclara Basile. Consacre-toi à tes projets. Tu peux utiliser une des charrettes pour transporter les matériaux dont tu auras besoin. As-tu suffisamment d'argent?

— Ne t'inquiète pas, papa. J'ai économisé tout ce que j'ai pu. Et je ne serais pas surpris de voir M. Lemaire arriver ici pour me donner mes gages.

— Charles Lemaire est honnête. S'il te doit de l'argent, il te paiera. Sois sans crainte, Arthur!

Le lendemain, Charles Lemaire vint payer son futur gendre. En même temps, il lui annonça que le mariage aurait lieu le samedi 7 septembre, à Frelighsburg. *C'est loin de mon village,* songea Arthur, *mais cela fera taire les mauvaises langues et clouera le bec aux grenouilles de bénitier.* Son beau-père lui promit de l'aider à s'installer. Ce dernier ajouta qu'il était désolé de la tournure des événements, mais que sa femme était encore très fâchée. Il espérait que les choses s'arrangeraient avec le temps...

— Ne t'en fais pas, mon gars! lança ensuite Charles Lemaire.

— Merci de me pardonner mes erreurs. Soyez certain que j'aimerai votre fille plus que tout. Je ferai l'impossible pour la rendre heureuse!

— Demain, Alcide Toussaint viendra te prêter main-forte; il apportera ses outils. Il te donnera un bon coup de main. Mais j'y pense, j'ai tout un tas de planches sèches; cela te serait bien utile.

— Je vous remercie beaucoup, monsieur Lemaire. C'est certain que les dons de matériaux seront les bienvenus. Je veux créer un espace où Eugénie ne sera pas trop dépaysée. Ici, c'est une maison de colons. Notre propriété n'a rien de comparable à la vôtre.

— Si ma fille t'aime autant qu'elle le prétend, elle ne verra pas la différence!

Charles Lemaire monta dans sa carriole. Malgré son air sévère, il était satisfait. Il avait fait une bonne action et rétabli la paix avec son futur gendre. Arthur assista au départ de M. Lemaire. Sur ces entrefaites, son père revint du champ.

— Qu'est-ce que Charles Lemaire te voulait ? lui demanda Basile, l'air soupçonneux.

— Juste du bien, papa ! Connais-tu Alcide Toussaint ? Il va venir m'aider pour l'agrandissement. En plus, M. Lemaire va me donner des planches de bois sec. Je ne sais pas ce que ça peut représenter en termes de quantité, mais je vais attendre avant d'aller au clos de bois du village.

— Vous vous êtes réconciliés ?

— Ça a l'air que oui, et j'en suis très content ! L'avenir regarde mieux qu'hier, qu'en penses-tu, papa ?

— T'as raison, mon gars ! Après la pluie, le soleil sort tout le temps.

— C'est ta façon de dire qu'après la pluie vient le beau temps ?

Basile se mit à rire. Il était content que les choses s'arrangent pour son fils. Arthur était un bon garçon ; il ne méritait pas d'être châtié pour un simple écart de conduite. Il aimait Eugénie et la marierait dans un mois. Toutefois, Olympe ne verrait pas la situation du même œil. Il fallait qu'il lui parle, mais il retardait le moment par crainte du drame que cela soulèverait. Sa femme vénérait la chasteté avant le mariage et, pour elle, l'acte charnel n'avait qu'un seul objectif : procréer. Basile aurait aimé avoir une femme plus dégourdie côté sexe. Malheureusement, lors de leurs fréquentations, il n'avait pas su lire entre les lignes qu'elle ne serait pas portée sur la chose. Malgré tout, Olympe était une excellente épouse ; elle ne se plaignait jamais, l'encourageait toujours dans le malheur, tenait impeccablement la maison et s'occupait des enfants avec soin. Elle ne sombrait jamais dans le drame. C'est pourquoi leurs enfants n'étaient pas des mauviettes – à l'exception d'Adrien, le petit dernier, qui paraissait plus fragile que les autres.

Le lendemain, Alcide Toussaint se pointa avec un énorme voyage de bois dans une charrette que tiraient deux gros percherons. Arthur songea que son futur beau-père ne faisait pas les choses à moitié. Arthur s'aperçut que les chevaux étaient épuisés et à bout de souffle. Le jeune homme descendit du balcon et se dirigea d'un pas rapide en direction de l'attelage, troublé de constater la souffrance des animaux, lui qui les aimait tant. Il jugea que ce tas de bois aurait nécessité un attelage de quatre bêtes. Il s'empressa donc de les dételer et de les amener se désaltérer à l'abreuvoir. Puis, il leur donna une généreuse portion d'avoine pour les récompenser de leurs efforts.

Alcide ne perdit pas son temps : il commença à décharger la charrette tout en triant le bois par la largeur, la longueur et l'épaisseur. Quand Arthur eut fini de les soigner, il les libéra de leur attelage et les conduisit dans un enclos où ils pourraient brouter et se reposer. Au retour du jeune homme, Alcide avait presque désempilé la moitié du tas de bois. Arthur se mit à la tâche. Il aperçut un petit baril de clous, qui valait une fortune, et des bardeaux de cèdre. Charles Lemaire avait remarqué que le toit de la maison des Robichaud était en bardeaux de cèdre. Arthur était reconnaissant envers cet homme généreux qui lui avait déjà pardonné sa faiblesse. *Tout homme normalement constitué n'aurait pu résister au charme d'Eugénie,* se dit-il dans son for intérieur. Arthur avait failli à sa promesse parce que c'était humainement impossible de faire autrement.

— Pis, mon jeune, qu'est-ce que tu penses de ça? lui demanda Alcide. Y manquera pas grand-chose pour te faire un beau p'tit nid d'amour, hein? Le patron ne veut pas que sa fille vive dans la misère, à ce que j'vois, déclara-t-il, l'air goguenard.

— Qu'est-ce que t'en sais, Alcide?

— Rien qu'à voir, on voit ben! Penses-tu qu'on ne s'était pas aperçu que la p'tite te tournait autour? Le patron m'a fait abandonner un chantier pour venir te donner un coup de main, ça veut tout dire! Bon, assez discuté. Explique-moi ce que tu veux faire...

Arthur ne prit pas la peine de lui répondre concernant son allusion à Eugénie. Il exposa les détails de son projet d'agrandissement. Tout semblait facile pour Alcide, un menuisier d'expérience. Ce dernier émit des suggestions intéressantes. Son côté pratique lui permettait de voir les choses sous un autre angle qu'Arthur, malgré toute sa bonne volonté, n'aurait pu imaginer. Le jeune homme décida de confier la direction des travaux à Alcide, mais il aurait bien aimé connaître l'opinion d'Eugénie, elle qui était habituée à plus de luxe que cette pauvre mansarde de colons en offrait. Actuellement, il n'était pas question qu'Eugénie vienne visiter les Robichaud. Olympe, sa future belle-mère, n'avait pas encore accepté sa grossesse. Celle-ci était superstitieuse ; elle craignait que la promise de son fils jette le mauvais œil sur la famille. Elle n'avait pas changé d'opinion sur la jeune femme : d'après elle, Eugénie était trop menue et son bassin trop étroit pour enfanter. De plus, parce que son garçon avait été chassé de la maison des Lemaire, Olympe était certaine qu'elle hériterait du bébé une fois que sa bru serait morte en couches. Elle priait pour que le bébé meure en même temps que sa mère, si cette dernière décédait.

Les travaux allaient bon train. Mais la date du mariage approchait, et Arthur devenait de plus en plus nerveux. Sa mère morigénait sans arrêt à cause de la saleté et de la poussière qui s'infiltrait dans toute la maison – même dans les chambres à l'étage.

— Vous ne pourriez pas faire attention quand vous travaillez ? Je n'en finis pas d'épousseter.

— On ne fait pas d'omelette sans casser des œufs, madame Robichaud ! répondit Alcide avec le sourire. Mais ça ne donne pas grand-chose de faire beaucoup de ménage avant qu'on ait terminé les travaux. Je ramasse toujours à la fin de ma journée, mais je ne peux pas passer trop de temps là-dessus, sinon on ne verra jamais le bout de ce chantier.

— En tous les cas, j'ai bien hâte que tout ça s'achève ! répliqua Olympe. Je me sens envahie dans ma propre maison.

— Pour le moment, ne vous inquiétez pas ; elle est propre votre maison, madame Robichaud !

— Ne cherchez pas à m'amadouer. Je n'ai pas le cœur à rire. Tout ça parce que mon fils n'a pas su se contrôler. C'est une vraie calamité…

Alcide se tint coi. Il n'avait pas prévu une telle réaction de Mme Robichaud. De plus, il ignorait qu'elle n'approuvait pas l'union d'Arthur avec Eugénie Lemaire. Quelque chose lui échappait, pensa-t-il. Les Lemaire étaient beaucoup mieux nantis que les Robichaud, alors Olympe aurait dû se réjouir que son fils ait mis le grappin sur la petite Lemaire. Alcide en vint à la conclusion que ce n'était pas de ses affaires. Il poursuivit son travail sans plus se préoccuper de cette histoire qui ne le concernait en rien.

Le travail avançait. M. Lemaire donnait beaucoup de matériaux de finition à Arthur, ce qui rendait Olympe jalouse. La rallonge serait parée de moulures beaucoup plus raffinées que celles de la maison d'origine. Exaspérée, elle se confia à son mari.

— Tu ne trouves pas que le père Lemaire exagère, Basile ? On dirait que c'est une maison de poupées qu'on construit dans notre propre maison. Ça n'a pas de bon sens !

— C'est toi qui exagères, Olympe. De toute façon, ça ne coûte pas une cenne à Arthur, alors de quoi te plains-tu? C'est la jalousie qui te fait parler ainsi. J'espère que tu t'en confesseras à monsieur le curé, dimanche à la messe.

— Les enfants se pâment devant la beauté des appartements de madame Eugénie. Va-t-elle arriver ici en carrosse?

— Si tu étais ma fille, je te laverais la langue avec du savon! s'écria Basile. As-tu pensé que c'est aussi ton fils et ton petit-fils ou ta petite-fille qui vivront dans cet endroit? Surtout, que je ne te prenne pas à monter nos filles contre Eugénie. J'espère que je suis assez clair là-dessus? C'est encore moi, le chef de famille ici, à ce que je sache. Et puis, si c'est juste une question de moulures, j'en achèterai au fur et à mesure que je le pourrai. Je ne veux plus entendre ce genre de discours dans ma maison.

Regrettant ses récriminations, Olympe baissa la tête. Elle ne se rappelait pas la dernière fois où Basile l'avait sermonnée aussi vertement. Il faudrait bien qu'elle finisse par accepter Eugénie si elle voulait garder l'harmonie dans son foyer. Elle prierait ce soir afin que le bon Dieu lui pardonne et qu'il lui donne la force de surmonter ses préjugés envers sa future bru. C'est vrai que celle-ci était menue et qu'elle craignait pour la jeune femme, pour Arthur, pour l'enfant à naître, mais Olympe appréhendait surtout la surcharge de travail qui l'attendait. Elle se trouvait égoïste, alors que c'est son fils qui serait le plus malheureux si le pire survenait. Eugénie avait toujours fait preuve de déférence à son égard et lui souriait chaleureusement chaque fois que leurs regards se croisaient. Son Basile avait raison. Elle avait manifesté de la jalousie et de la mesquinerie à l'égard de sa future belle-fille. Olympe oubliait volontairement l'envie et l'orgueil qui étaient des péchés capitaux – elle avait honte de posséder ces défauts, mais elle ressentait beaucoup de contrition pour ses pensées malsaines. Elle prit la ferme résolution de s'améliorer ; elle manquait parfois de charité et d'humilité.

Basile se sentait mal d'avoir blâmé sa femme, mais elle avait mérité ses reproches. Il se dirigea vers l'arrière de la maison, où son fils et Alcide travaillaient. Il venait d'entrer un gros voyage de foin dans la tasserie et avait un peu de temps devant lui avant d'aller faire le train.

— Alors, les gars, ça avance à votre goût ?

— On profite du beau temps pour finir l'extérieur, déclara Alcide sans cesser de scier la planche installée sur des chevalets. On ne sait jamais ce que la nature nous réserve, alors on en profite. Et toi, Basile, les foins, ça avance ?

— Tranquillement pas vite ; on va y arriver si la température reste aussi belle ! Je me suis habitué à me passer d'Arthur, mais l'année prochaine, j'espère qu'il va rester ici pour m'aider. La terre sera à lui quand je prendrai ma retraite.

— Si c'est ton plus vieux, c'est normal. Ton fils aura peut-être un gars, pis ta lignée sera assurée, mon Basile.

— Pourquoi dis-tu ça ?

— Avec une belle créature comme mam'zelle Eugénie, crains pas que tu seras grand-père avant longtemps, à moins que ton gars ne soit pas capable !

— Qu'est-ce que tu racontes-là, Alcide ? demanda Arthur.

— On parlait des foins, pas vrai, Basile ?

— C'est ça, Alcide. Bon, maintenant, il faut que je fasse rentrer mes vaches si je veux finir mon train avant la noirceur.

— Laisse faire, papa ! J'irai t'aider après le souper. Si j'en juge d'après les bonnes odeurs qu'on sent, le repas est presque prêt. Et Alcide va s'en retourner à Sainte-Brigide dans peu de temps.

— Je vais aller chercher les vaches et les installer dans leurs stalles. On fera le train ensemble, après le souper. Salut, Alcide, et à lundi !

Les fermiers n'avaient pas le droit de travailler le dimanche, sauf pour traire et nourrir les animaux. Il y avait une autre exception : si le foin était coupé et que la pluie menaçait de le gaspiller, les agriculteurs avaient le droit de le ramasser, mais les curés étaient sévères et Basile respectait fidèlement ces règles. C'était à peu près le seul moment de répit de la semaine, et encore… Le train prenait entre deux et trois heures, matin et soir, selon le nombre de vaches que chacun possédait et l'aide qu'il pouvait obtenir de sa femme et de ses enfants. Quand les vaches de Basile traînaient près du point d'eau, ce dernier sautait sur un de ses chevaux, sans le seller, et se faisait accompagner par son chien Prince qui l'aidait à regrouper les bêtes. Il possédait une quinzaine de vaches, ce qui était très ambitieux pour un seul fermier. Il fallait les traire à la main, mais heureusement que ses filles Cora et Blanche lui donnaient un coup de main à tour de rôle. Malgré tout, cela exigeait beaucoup de travail. Basile avait hâte qu'Arthur ait terminé ses travaux de construction pour respirer un peu. Il avait à peine quarante ans, mais il se sentait déjà usé par le travail. Il souffrait de rhumatisme, surtout durant la saison froide.

Basile entendit la cloche sonner ; cela signifiait que le repas était prêt. Il termina d'installer les carcans à ses vaches, puis il entra dans la maison. Olympe avait offert à Alcide de souper avant de retourner à Sainte-Brigide, de crainte qu'il arrive trop tard chez lui, d'autant plus qu'il devait passer chez les Lemaire pour y laisser l'équipage. Une personne de plus à table ne faisait pas une grosse différence. Chez les fermiers, l'argent liquide était rare, mais les victuailles ne manquaient pas.

— J'accepte votre invitation, fit Alcide. Mais je dois rentrer avant la noirceur. Ma femme s'inquiète quand j'arrive trop tard. Elle pense toujours que j'ai fait un crochet pour aller prendre un coup !

— Ici, on ne boit de l'alcool que lors des grandes occasions, comme un mariage, une naissance ou un enterrement, formula Olympe. Pas vrai, Basile?

— Ouais! admit Basile, l'air dépité. Je trouve, Alcide, que ma femme écoute un peu trop le curé, qui est un partisan de la tempérance.

— De la bonne eau fraîche fera tout aussi bien l'affaire! déclara Alcide.

— Ma mère a fait un excellent ragoût avec des légumes frais du jardin, dit Arthur.

Olympe servit à son fils une généreuse portion de ragoût avec une épaisse tranche du pain qu'elle avait cuit le matin-même. Fière de son talent de cuisinière, elle s'efforçait de transmettre son art à ses deux filles. Songeant à sa future bru, elle se demanda si celle-ci possédait des aptitudes comme cuisinière ou ménagère. Olympe prit la décision de former la jeune femme pour expier ses pensées pas très chrétiennes à son égard. Après que la tablée eut été servie, elle déposa dans son assiette une petite portion de viande et peu de légumes. Basile coupa le pain et en donna une tranche à tout le monde, sauf à sa femme qui avait décliné l'offre d'un geste de la tête. Quand tous eurent fini de manger, Cora et Blanche desservirent pendant que leur mère offrait du thé aux adultes.

— Je vous remercie pour l'excellent repas, madame Robichaud, mais je dois partir car il se fait tard, émit Alcide. On se reverra donc lundi matin, ajouta-t-il à l'intention d'Arthur.

— Je serai au poste, Alcide. Bon dimanche ! répondit Arthur.

Plutôt que de retourner à la maison, Arthur se rendit dans l'étable et commença à traire les vaches. Il avait remarqué que son père avait l'air plus fatigué que d'habitude. Faire les foins était un travail exigeant. Heureusement que Basile s'était équipé d'une faucheuse à foin – qui était une nouveauté – et d'une faneuse qui permettait de retourner le foin pour en garder la valeur nutritive. Basile avait vu ces machineries pour la première fois à la foire agricole de Brome ; il n'avait pu résister à l'attrait de ces machines malgré leur coût prohibitif. Ces instruments aratoires remplaçaient une équipe d'hommes à tout faire et, pour bien fonctionner, n'avaient besoin que d'un cheval et d'un opérateur assis sur un siège qui pouvait contrôler la qualité du travail. Arthur était content que son père se soit offert ces équipements si faciles à opérer, alors que M. Lemaire travaillait encore à la manière traditionnelle et engageait des faucheurs. Toutefois, il soupçonnait que les Lemaire voulaient ainsi favoriser la création d'emplois pour les travailleurs saisonniers qui vivaient avec peu. La faneuse, à elle seule, remplaçait huit hommes grâce à ses fourches qui retournaient le foin. Pour sa part, la faucheuse – qui accomplissait le travail d'à peu près huit hommes, elle aussi – fournissait un travail de qualité supérieure. Même si ces deux machines étaient fort utiles, il fallait encore charger manuellement le foin dans la voiture et le transférer dans la tasserie. Il était pratiquement impossible pour un homme de faire seul ces tâches. Basile demandait à une de ses filles de conduire la charrette tirée par le cheval qui devait être guidé. Dès qu'il voyait ses sœurs, Arthur savait laquelle avait été désignée pour diriger le cheval : elle portait des vêtements amples et longs, ainsi qu'un chapeau à large bord retenu par un foulard afin d'exposer le minimum de peau au soleil. Un teint bronzé trahissait des origines paysannes. La majorité des femmes se protégeaient du soleil pour garder un teint de pêche.

— T'as déjà commencé le train? s'étonna Basile. T'aurais dû m'attendre, Arthur!

— Je ne travaille pas très dur ces temps-ci, comme t'as pu le voir. Mais pour toi, c'est tout le contraire. Laisse-moi m'occuper du train et repose-toi un peu; tu l'as bien mérité. Et puis, demain, je pourrais ramasser le foin pendant que tu conduiras la voiture. Cora est capable d'emmener maman, Blanche et Adrien à la messe. Qu'est-ce que t'en penses, papa?

— Tu n'iras pas voir ta bien-aimée?

— J'ai laissé un p'tit message à Alcide pour qu'il le remette à Eugénie. Elle va comprendre...

— C'est pas de refus parce que j'ai un peu mal aux reins à force de toujours faire le même geste en lançant le foin dans la voiture. Une chance qu'il y a une grande fourche dans la tasserie. Mais je ne te cache pas qu'à la fin de la journée, j'ai de la misère à tirer sur le câble et à placer le foin dans le fond de la tasserie.

— Demain, c'est moi qui vais le faire, annonça Arthur. Tu n'auras qu'à guider le cheval. Ça me fera du bien de me délier les muscles. Je ne veux pas devenir une pâte molle!

Basile était reconnaissant à Arthur de son offre, parce qu'il n'aurait jamais osé lui demander de l'aider. Il était beaucoup trop orgueilleux, mais il devait reconnaître qu'il n'était plus dans sa prime jeunesse et que les années passées à trimer dur avaient laissé des séquelles. S'il était chanceux, il pourrait gérer sa ferme une bonne dizaine d'années encore. Toutefois, après la cinquantaine, ce serait plus ardu. Basile pensait qu'après ça, il ne serait plus bon à grand-chose, sinon à fumer sa pipe en se berçant sur la galerie en été et, en hiver, à faire la même chose en regardant dehors par la fenêtre. Il n'avait pas vu les années passer.

La noirceur était bien installée quand Arthur finit le train. Il avait libéré les vaches au fur et à mesure qu'il les avait traites. Ça l'encourageait de savoir combien il en restait à traire, même s'il savait que cela n'accélérait pas le travail. Ensuite, il retira le fumier des dalots, puis déposa celui-ci dans une grosse brouette. Il alla vider son chargement sur le tas de fumier qui, éventuellement, servirait d'engrais pour les champs. Arthur étendit un peu de paille sur le sol de l'étable pour que cette dernière soit prête à recevoir les vaches le lendemain matin. C'était un dur métier que celui de fermier, même si parfois il avait l'impression d'être l'esclave de la terre qui les nourrissait tous, sa famille et lui.

Basile lui avait raconté l'exode des Québécois vers les États-Unis pour aller travailler dans les usines de textile. Le Québec se vidait de sa main-d'œuvre depuis plus de cinquante ans au profit des Américains. C'était à cause de l'exode rural que des hommes comme Lemaire avaient acheté les terres de leurs voisins pour une bouchée de pain, se constituant ainsi de vastes domaines. Basile n'en voulait pas aux Lemaire de ce monde, car il aurait fait la même chose s'il avait possédé un peu de capital. Il aurait fallu qu'il devienne maquignon, mais il n'avait pas le talent requis. Son sens moral l'en empêchait, mais il aurait bien aimé gagner son argent plus facilement, sans s'éreinter à l'ouvrage. C'était le lot des gagne-petit ou des gens nés pour un p'tit pain, comme il disait à son fils.

— Toi, Arthur, tu auras la chance de marier une femme d'un milieu supérieur, mais tu as peut-être tout gâché en n'étant pas capable de te retenir. J'ai l'impression que le père Lemaire va t'en donner juste assez pour ne pas que sa fille vive dans la misère, mais que c'est tout ce que tu recevras comme dot. Et pour l'héritage, tu n'obtiendras probablement que des miettes…

Arthur repensait aux paroles de son père tout en travaillant. Il sentait que ce dernier avait raison. S'il avait su se contrôler, il serait devenu le régisseur du domaine et il se serait installé dans la grande maison avec sa femme et ses enfants. Il n'aurait plus jamais porté les habits des travailleurs des champs. Il se serait contenté de diriger, et ç'aurait été chose du passé pour lui de travailler à s'arracher le cœur. Il aimait toujours Eugénie, mais il lui en voulait de l'avoir poussé à trahir sa parole. Elle l'avait condamné à une vie de pauvreté, même s'il n'avait jamais connu mieux. Mais elle, qui avait vécu dans l'abondance, mènerait, après son mariage, une vie de privations et de chagrin.

Le jeune homme songea au sermon du curé de dimanche dernier, qui avait eu comme thème le péché originel. Eugénie et lui avaient croqué le fruit défendu et maintenant, ils se retrouvaient tous deux exclus du jardin d'Éden. Il termina son ouvrage en maudissant sa malchance. Il fallait qu'il se calme; sinon, sa rancœur l'éloignerait peu à peu de sa douce nature, un peu timide et avide de tendresse. Arthur refusait qu'une sourde irritation et la révolte gâchent sa vie.

En sortant de l'étable, il vit que sa famille se berçait sur la galerie. Il entendit des rires, ce qui le contraria.

— Tu as déjà terminé, Arthur? le questionna son père.

— Ouais! Mais je suis fatigué. Je monte me coucher.

— Tu ne t'assois pas un peu avec nous autres pour profiter de la fraîcheur du soir? lui demanda Blanche.

— Je viens de dire que je suis fatigué! Tu es sourde ou quoi?

— Je ne sais pas quelle mouche t'a piqué, riposta sa sœur, mais ce n'est pas une raison pour être méchant avec moi.

— Excuse-moi, Blanche, mais je suis épuisé. J'ai besoin de sommeil. Bonne nuit, tout le monde!

Arthur s'éclipsa. Sa famille, qui n'était pas habituée de le voir si tendu, ne fit guère de cas de sa mauvaise humeur. Tous continuèrent à profiter de cette belle soirée du mois d'août.

Le lendemain, tel que prévu, Arthur attela la Grise et se mit à faner le foin pour en chasser la rosée. Son père prépara le *buggy* afin que la famille puisse se rendre à la messe. Après cette tâche, il retourna faire son train. Basile termina celui-ci à peu près au même moment qu'Arthur finit de faner le foin. Le jeune homme décrocha la faneuse et installa la voiture à foin.

— Es-tu prêt, papa? Il me semble que le ciel a tendance à se couvrir.

— T'as raison, mon garçon. Mais je n'ai pas l'impression qu'il va pleuvoir avant la fin de journée, à moins que le vent se lève.

— On est mieux de commencer sans tarder, au cas où! répondit Arthur, pressé de se mettre à l'ouvrage.

— Dis-moi, Arthur, est-ce qu'il y a quelque chose qui ne va pas ? Je te sens tendu depuis hier soir.

— C'est entre moi et Eugénie, papa, prétendit Arthur. J'espère qu'elle va accepter mon absence à l'église de Sainte-Brigide. C'est plus important de t'aider que d'aller me pavaner, surtout que sa mère ne me porte pas dans son cœur maintenant…

— Ne t'en fais pas pour ça ! Elle aura bien le temps de changer d'idée d'ici la naissance du bébé.

— Je l'espère. Mais trêve de bavardages et travaillons !

Tout en chargeant la voiture de foin, Arthur réfléchissait à son avenir. Même si le futur ne lui semblait pas très rose, il fallait qu'il passe par-dessus ses états d'âme s'il ne voulait pas que sa situation empire. Ce qui l'avait irrité la veille, c'était que des membres de sa famille rient pendant que lui pleurait intérieurement sa peine. Il travailla d'arrache-pied ; au moins, pendant qu'il s'échinait, il n'avait pas le temps de penser. Le temps fila et bientôt le reste de la famille revint de la messe.

Quelques minutes plus tard, Cora, en tenue de travail, vint rejoindre son père et son frère dans la prairie.

— Papa, je pourrais conduire la voiture pendant qu'Arthur et toi, vous rempliriez la voiture. La couleur des nuages est de mauvais augure. J'ai bien peur qu'il pleuve avant longtemps.

— Tu as raison, Cora, approuva Basile. Le ciel ne me dit rien qui vaille. Arthur a beau être fort et travailler le plus vite qu'il peut, une paire de bras de plus ne sera pas un luxe, conclut-il avant de céder sa place à sa fille et de prendre une fourche pour aider son fils à remplir la voiture.

Le travail avança rapidement, et bientôt ils purent décharger un autre voyage dans la tasserie. Quand ils ressortirent de la grange, le ciel s'était encore obscurci. Arthur ramassa une bâche pour couvrir le foin si jamais la pluie commençait à tomber pendant que son père, Cora et lui étaient aux champs. Au moins, cela protègerait le foin déjà ramassé.

— On serait mieux de ne pas arrêter pour dîner et de demander aux femmes de nous préparer des sandwichs. Qu'en penses-tu, Arthur ?

— T'as raison, papa ! On va être chanceux si on réussit à terminer avant qu'il pleuve.

Cora courut à la maison. Après avoir fait la commission à sa mère, elle retourna dans le champ. Basile et Arthur continuèrent à remplir la voiture à un rythme accéléré. Un peu plus tard, Blanche leur apporta en courant un panier de victuailles.

— Pourquoi vous n'êtes pas venus manger à la maison ?

— Regarde le ciel, Blanche, et tu auras ta réponse ! indiqua son père. C'est une course contre la montre, et on est loin d'être sûrs de la gagner…

— Prends le temps de manger, papa! lui enjoignit Arthur, qui voyait que son père tentait de le suivre, mais n'en avait pas la force. Ça ne nous avancera pas si tu fais une crise de cœur.

— Avale au moins un bout de sandwich et un peu de limonade, papa! le supplia Blanche, inquiète à cause du teint cramoisi de son père.

Un coup de tonnerre retentit et des éclairs zébrèrent le ciel. L'orage approchait. Arthur prit un sandwich et força son père à cesser de travailler pour se désaltérer et se sustenter.

— Toi, Blanche, prends la place de Cora, ordonna-t-il ensuite. Elle va aider papa à attacher la bâche, après qu'il aura fini de manger. Moi, je vais continuer aussi longtemps que possible.

Le vent s'était levé et l'orage s'était encore rapproché. Cora et son père nouèrent chacun un coin de la bâche. Ils avaient presque terminé de ramasser le foin déjà coupé quand le ciel déversa une trombe de pluie chaude d'une violence inouïe. Arthur eut toutes les misères du monde à attacher les deux derniers coins de la bâche. Son père et Cora essayaient de retenir l'autre extrémité de la toile, sous les assauts du vent qui s'engouffrait sous celle-ci. Blanche tentait de contrôler le cheval qui hennissait de terreur, les yeux exorbités.

Finalement, Arthur réussit à tout lier en glissant les fourches sous la bâche. Il se précipita à l'avant de la voiture et retint le cheval qui menaçait de partir à l'épouvante. Il enleva sa chemise et en fit un bandeau pour couvrir les yeux du cheval. Ce dernier se calma, étant donné qu'il ne voyait plus les éclairs qui illuminaient le ciel. Blanche et Cora avaient une peur bleue de l'orage ; elles sursautaient après chaque coup de tonnerre. Elles voulurent se cacher sous la voiture chargée de foin, mais Arthur les en empêcha.

— Courez à la maison parce que j'ai peur que le cheval parte à l'épouvante, s'il reste sans bouger. Je vais marcher à ses côtés. Toi, papa, fais ce que tu penses qui est le mieux… Moi, je le ramène à la grange !

— Je ne suis pas très bon à la course, formula Basile. De toute façon, on ne sera pas trop de deux si le cheval s'affole. Regarde les filles ! Elles ont détalé comme des gazelles affolées.

— Elles seront mieux dans la maison que dehors par ce temps-là, cria Arthur pour couvrir le bruit de l'orage.

— C'est vraiment un sale temps ! répondit son père sur le même ton.

Les deux hommes guidèrent le cheval jusqu'à l'étable, puis Arthur détela celui-ci pour le mener à l'écurie. Il prit le temps d'essuyer la bête en lui murmurant des paroles réconfortantes, puis lui servit une bonne portion d'avoine. Ensuite, Arthur retourna dans la tasserie pour aider son père à enlever la bâche.

— On a assez travaillé pour aujourd'hui, Arthur, annonça Basile.

— Je crois que oui! J'ai eu vraiment peur que le cheval se cabre et qu'il se blesse. Il aurait pu briser la voiture et nous aurions perdu notre voyage de foin. Allons nous changer parce que j'en ai assez d'être détrempé.

— Moi aussi! T'as bien fait ça, mon gars. Je suis fier de toi!

Une fois à la maison, ils s'empressèrent de troquer leurs habits mouillés contre des vêtements secs. Puis, ils s'assirent dans la cuisine et écoutèrent Cora et Blanche qui jacassaient.

— J'ai tellement eu peur que j'ai récité mon chapelet en courant jusqu'à la maison, dit Blanche, trop contente d'avoir échappé à la foudre.

— Moi, je n'y ai même pas pensé, émit Cora, les joues rouges et aussi excitée que sa sœur. Mais j'avais peur de m'enfarger dans ma grande jupe que je tenais d'une main. Elle était lourde, toute imbibée d'eau.

— Arthur, j'ai vu la famille Lemaire à la messe aujourd'hui, déclara Olympe. Il me semblait que tu m'avais dit qu'elle resterait à Sainte-Brigide? En tous les cas, Charles Lemaire veut te voir. Il ne m'a pas dit ce qu'il te voulait, mais il souhaite te rencontrer le plus tôt possible. Il avait l'air préoccupé.

— Ça t'a paru urgent à quel point, maman?

— Je ne sais pas. Ne t'en fais pas pour Eugénie et sa mère parce qu'elles avaient toutes les deux de beaux sourires. C'est sûrement autre chose qui tracasse ton futur beau-père...

— Je vais aller tout de suite chez les Lemaire. Le ciel s'est éclairci et je ne pense pas qu'il va encore pleuvoir. Je vais seulement seller la Grise ; je n'ai pas besoin de *buggy*. Je serai de retour pour le souper. Sinon, garde-moi une assiette dans la *pantry*, maman.

Chapitre 4

Arthur se rendit dans l'écurie. Il sella le cheval et partit pour Sainte-Brigide. Tout le long du parcours, il se demanda pourquoi M. Lemaire était si pressé de le voir. Il s'était sûrement passé quelque chose de grave. Les pensées les plus saugrenues vagabondaient dans l'esprit du jeune homme, qui songea même que la famille d'Eugénie avait peut-être décidé de le rejeter. Mais sa mère semblait croire que ce n'était pas le cas. Alors, que pouvait bien vouloir Charles Lemaire ? Arthur résolut de cesser de se torturer, craignant de devenir fou d'angoisse.

Une fois devant la maison des Lemaire, le jeune homme essaya de se composer une mine avenante – à défaut d'être souriante. Il attacha son cheval à l'abreuvoir, situé un peu en retrait, et se dirigea vers la résidence d'un pas décidé.

M. Lemaire sortit à l'extérieur avant que le visiteur atteigne le perron.

— Ah ! Je suis très content de te voir, Arthur, si tu savais !

— Qu'est-ce qui se passe ?

— Mon régisseur est tombé de cheval et s'est cassé le cou.

— Il est mort ?

— Non, mais il est paralysé. Tout ça à cause d'un trou de marmotte. Il a fallu que je fasse abattre le cheval, maudite misère !

— C'est pas la joie…

— Il faut que tu me viennes en aide, Arthur ! J'ai besoin de toi pour remplacer mon régisseur. Tu seras très bien payé, sois sans crainte.

— Le mariage est dans moins de deux semaines et la maison est loin d'être prête…

— J'en ai parlé avec ma femme. Elle t'a pardonné. Ma Reine a eu le temps de se calmer, d'autant plus qu'Eugénie erre dans la maison comme une âme en peine. Ma fille et toi, vous pourriez vivre ici au moins jusqu'à l'accouchement.

— Je regrette, monsieur Lemaire, mais Eugénie et moi, nous nous installerons chez mon père. Je vous remercie pour tout ce que vous avez fait pour moi, mais mon père ne rajeunit pas et il a besoin de mon aide, lui aussi. Vous pouvez embaucher un autre régisseur sans problème.

— Je te connais, Arthur, et j'apprécie ta façon de travailler. Je sais que tu es un meneur d'hommes. Je comprends que tu veuilles t'établir chez toi, mais laisse-moi le temps de me trouver un bon régisseur. On pourrait choisir ensemble ton remplaçant. Je ne veux pas engager n'importe qui. Tu ne peux pas me faire ça !

— C'est presque du chantage, monsieur Lemaire…

— Tu fais partie de la famille, maintenant, alors tu as des devoirs à l'égard des Lemaire.

— C'est un ultimatum ?

— Ton père peut encore se débrouiller seul. Et Alcide pourrait finir les rénovations et tout harmoniser de façon qu'on ne remarque même pas qu'il y a eu un agrandissement. J'ai su que ta mère s'était plainte à propos des moulures ? Tu lui diras qu'Alcide va tout agencer jusqu'à ce qu'elle soit satisfaite.

— Ça, c'est carrément du chantage ! Comment est-ce que je pourrais refuser de faire plaisir à ma mère ? Je vous trouve pas mal ratoureux.

— Ça signifie que tu acceptes ?

— Ai-je le choix ?

— Pas vraiment, mais tu ne le regretteras pas, Arthur. La dot de ma fille sera plus importante, si tu viens à mon secours. Pense à l'avenir !

— Vous voulez m'acheter ?

— Je ne veux pas t'acheter, Arthur, mais t'aider financièrement.

Arthur se sentait coincé entre son désir de s'installer chez lui et l'envie de rendre service à son beau-père. Il aurait aimé demander à sa fiancée ce qu'elle en pensait, mais aurait-il l'air d'un homme faible, incapable de prendre des décisions ?

Finalement, après avoir soupesé l'offre de son beau-père, Arthur déclara :

— J'accepte à la condition qu'on cherche un régisseur pour me remplacer dès que possible.

— Va vite annoncer la nouvelle à Eugénie. Peux-tu commencer demain ?

— Je préférerais mardi, si ça ne vous fait rien. Il faut que j'explique la situation à mon père pour qu'il comprenne bien que mon absence ne sera que temporaire.

— Comme tu veux. Maintenant, va rejoindre Eugénie. Elle doit se morfondre et se demander ce qu'on manigance !

Dès l'arrivée d'Arthur, Eugénie se jeta dans ses bras, l'air inquiet. Le jeune homme la rassura, lui disant que tout allait bien et qu'il viendrait vivre au domaine, mais que cela serait provisoire. Il souhaitait que leur bébé naisse à la ferme des Robichaud, mais peut-être qu'il en irait autrement puisqu'il avait accepté le poste de régisseur. Eugénie se réjouissait parce que cette situation lui laisserait le temps d'apprivoiser sa nouvelle vie d'épouse.

Puis vint le temps pour Arthur de retourner à Stanbridge East. Il voulait discuter avec son père le plus tôt possible, même si M. Lemaire insista pour qu'il reste à souper. Arthur resta sur ses positions et partit après avoir embrassé discrètement sa promise. Chemin faisant, il prépara la conversation qu'il tiendrait avec son père. Ce dernier comprendrait le revirement de situation et les avantages que son fils en retirerait. Quand Arthur arriva, tout le monde avait déjà soupé, mais Olympe lui avait gardé une assiette dans la *pantry*, comme promis.

— Qu'est-ce qu'il te voulait, le père Lemaire ? lui demanda sa mère.

— Tu vas avoir de belles moulures, toi aussi, maman, parce que j'ai accepté la *job* de régisseur qu'il m'a offerte. Ça se peut qu'Eugénie et moi venions habiter ici seulement au printemps. Mais j'aimerais que le bébé naisse dans notre maison, comme moi.

— Déménager une femme enceinte en plein cœur de l'hiver avec tout son barda, ce n'est pas l'idéal ! Et puis, Eugénie aura pris ses habitudes et elle sera dorlotée chez les Lemaire, alors qu'à Stanbridge East, elle risque de se sentir étrangère le temps qu'elle s'habitue à nous.

— Il va bien falloir qu'elle vienne vivre ici un jour ou l'autre ! rétorqua son fils.

— Ce n'est pas à moi de décider, Arthur ; je te donne simplement mon avis. Le bébé devrait naître en mars ou avril. Si on a un hiver clément, Eugénie et toi pourriez vous installer chez vous sans problème.

— On verra dans le temps comme dans le temps ! En attendant, Alcide va compléter les travaux tout seul.

Arthur monta dans sa chambre pour faire sa valise. Il n'apporterait que des vêtements de travail, car il reviendrait à la ferme familiale avant son mariage à cause de la tradition. En effet, le futur marié ne devait pas se trouver sous le même toit que sa promise la veille des noces. Ce soir-là, Arthur dormirait dans son lit pour la dernière fois.

Le 7 septembre 1895, le matin des noces, toute la famille Robichaud monta à bord de la carriole tirée par les deux chevaux de Basile pour se rendre à l'église de Frelighsburg. Arthur n'était pas très à l'aise dans son habit ; en plus, le faux col et la cravate lui serraient le cou. Il avait mis de la brillantine dans ses cheveux rebelles, qu'il avait séparés dans le milieu et lissés. Sa mère avait ciré ses bottines pour que celles-ci soient à peu près présentables parce qu'elles avaient été ressemelées deux fois déjà. Plus on approchait de Frelighsburg, plus Arthur devenait nerveux.

— Calme-toi, Arthur ! Tu ne t'en vas pas à la potence, mais à ton mariage.

— Je le sais bien, papa. Mais j'étouffe avec ce faux col, et il m'irrite le cou !

— Tu es certain que ce n'est que ça ? Détache-le et ta mère le rattachera en arrivant à l'église.

— Je ne sais pas pourquoi je suis nerveux comme ça, commenta Arthur.

— Ce n'est pas tous les jours qu'on se marie, émit son père. Mais ne t'en fais pas : tous les hommes sont stressés avant de se passer la corde au cou ! blagua-t-il.

— Je ne t'ai pas forcé, Basile Robichaud ! intervint sa femme. Tu semblais plutôt pressé de te marier.

— Je n'ai jamais regretté de t'avoir épousée, ma belle Olympe ! Ce n'était qu'une façon de parler…

Ils arrivèrent finalement à l'église. Olympe noua le col d'Arthur, et les Robichaud pénétrèrent dans le lieu de culte désert. Arthur faisait les cent pas dans le portique, jetant régulièrement des coups d'œil à l'extérieur. Soudain, il vit la famille Lemaire se pointer à l'horizon. Deux carrioles se suivaient : une pour Eugénie et son père, et l'autre pour le reste de la famille.

Arthur rejoignit l'autel, où le prêtre attendait patiemment. Dès que M. Lemaire et Eugénie entrèrent dans l'église, l'orgue se mit à jouer. Le père, très solennel, marchait d'un pas lent. Il tenait la main de sa fille, qu'il s'apprêtait à donner à Arthur. La mariée était splendide et arborait un sourire empreint de tendresse. La cérémonie serait toute simple. Ensuite, les deux familles se réuniraient chez les Lemaire.

Le repas de noces fut délicieux, mais les Robichaud partirent peu de temps après. Olympe était contente de retourner chez elle après avoir vu toute cette richesse – l'argenterie, les couverts et les toiles qui ornaient les murs de cette grande maison.

— La petite va déchanter quand elle va s'installer chez nous! dit-elle à son mari.

— Notre maison nous satisfait, argua Basile. C'était à elle d'y penser avant de jeter son dévolu sur notre garçon! Eugénie n'est pas du même milieu, mais elle a choisi Arthur, tout de même.

— On verra bien…

Ce soir-là, chez les Lemaire, tout le monde se retira tôt. Les nouveaux mariés purent s'étreindre sans craindre d'être surpris. Ils avaient enfin le droit de se caresser, de se prendre, de laisser libre cours à leur passion dévorante si longtemps retenue. Arthur était impatient de toucher les seins d'Eugénie, gonflés à cause de la grossesse. Il embrassa son ventre où se développait le fruit de leurs amours. Arthur la pénétra tout doucement, étouffant ses petits cris de plaisir par des baisers. Ils connurent l'extase et s'endormirent étroitement enlacés. Après s'être réveillés au milieu de la nuit, ils refirent l'amour.

Eugénie et Arthur étaient heureux. Ce fut la période la plus plaisante de leur vie commune. Arthur travaillait sur le domaine; il surveillait le travail des hommes pendant qu'Eugénie brodait, apprenait à cuisiner et jouait du piano. Artémise, la bonne – une femme d'expérience –, la préparait à la vie de mère. Par exemple, elle expliqua à la jeune femme la différence entre les caprices d'un poupon et les maux pouvant affliger un jeune enfant. Eugénie appréciait grandement ces conseils pratiques, qui la rassuraient quant à un futur pas si lointain. Artémise lui vanta les mérites de l'huile de castor, qui était en réalité de l'huile de ricin. Il fallait qu'Eugénie se frotte le ventre et les seins avec cette huile, si elle voulait éviter les vergetures et garder intacte la beauté de son corps.

L'accouchement d'Eugénie approchait. Avec l'aide d'un pendule, Artémise avait prédit à la future mère la naissance d'un garçon. La bonne jouerait le rôle de sage-femme le moment venu. Un matin, Eugénie perdit les eaux. Sans s'affoler, elle appela Artémise. Cette dernière prépara le nécessaire pour l'accouchement. Marie-Reine, qui paniquait à rien, était tout juste bonne à faire bouillir de l'eau. Artémise avait placé sur le lit une alèse pour ne pas souiller le matelas, puis l'avait recouverte de draps et de couvertures. On prévint Arthur et Charles Lemaire, qui abandonnèrent aussitôt leurs occupations respectives. Ils montèrent dans la chambre. Mais à peine eurent-ils le temps d'embrasser Eugénie et de lui souhaiter bon courage qu'Artémise les chassa.

— Ce n'est pas la place des hommes ici ! Allez-vous-en ! On vous appellera quand tout sera terminé. Ne craignez rien ; la petite est beaucoup plus forte qu'il n'y paraît.

— Ne t'inquiète pas, mon chéri, ni toi, papa! énonça Eugénie avec bravoure, même si elle avait peur de ce qui l'attendait. J'ai hâte de voir le minois de mon bébé. Je suis prête!

Les deux hommes redescendirent au rez-de-chaussée. M. Lemaire s'enferma dans son bureau pour prendre un verre de bourbon. Arthur alla chercher du bois dans la remise pour remplir la boîte à bois placée près du poêle, où sa belle-mère s'activait sans trop de succès.

— Laissez-moi donc m'occuper du poêle et de l'eau, belle-maman! dit-il. De toute façon, le chaudron est trop lourd pour vous et il faudra le monter en haut. En avez-vous un autre? D'après moi, on risque de manquer d'eau avec juste un chaudron. Qu'en pensez-vous?

— Oh! Tu me libères, mon cher Arthur! Je suis tellement nerveuse que j'ai peur de faire des bêtises. Je vais t'apporter un autre chaudron.

Marie-Reine revint quelques instants plus tard avec un grand chaudron en fonte. Elle le déposa dans l'évier avec difficulté.

— Laissez-moi le remplir, lança Arthur. C'est trop pesant pour vous.

Arthur actionna la pompe à eau, mais celle-ci avait perdu toute sa pression. Il plongea une tasse dans le chaudron déjà sur le poêle et la vida dans l'ouverture sur le dessus de la pompe pour créer de la pression. Arthur s'activa jusqu'à ce qu'il obtienne un gros jet continu. Une belle eau claire, mais très froide, coula dans le chaudron. Le jeune homme prit la peine de remplir la tasse, au cas où il faudrait relancer la pompe. En peu de temps, le contenu du récipient devint chaud sans être brûlant. Lorsque Artémise réclama de l'eau, Arthur monta rapidement, tout en prenant garde de ne rien renverser. Il vida l'eau dans deux bassines.

— Je croyais que c'était madame qui apporterait l'eau chaude ?

— Elle s'en sentait incapable, vu sa nervosité et le poids du chaudron.

— Comme vous êtes le mari, ça peut aller, décida la sage-femme. Mais vous montez seulement quand je vous appelle, d'accord ? Il y a des choses que les hommes ne doivent pas voir, à moins d'une extrême urgence, et ce ne sera pas le cas aujourd'hui !

— Je redescends, n'ayez crainte. Est-ce que je dois encore remplir ce chaudron ?

— On n'a jamais trop d'eau chaude, Arthur !

Une fois de retour dans la cuisine, Arthur se remit à la tâche, puis il bourra le poêle de bois. Ensuite, il s'assit à la table et attendit. Eugénie criait de plus en plus fort. Chaque plainte de sa femme faisait à Arthur l'effet d'un coup de couteau qui lui transperçait le cœur. Il alla cogner à la porte du bureau de son beau-père. Après avoir obtenu la permission d'entrer, Arthur ouvrit le battant.

— Approche-toi! lui dit M. Lemaire.

— J'aurais besoin d'un p'tit remontant! Je n'en peux plus d'entendre Eugénie sans pouvoir rien faire. Ça me tue!

— Tu vas t'y faire, Arthur! Les femmes enfantent dans la douleur depuis le début des temps, ce qui n'a pas empêché la population mondiale de croître. Au Canada, il y a plus de cinq millions d'habitants.

— Et la population mondiale est de combien, d'après vous?

— Je l'ignore, mais cela dépasse sûrement le milliard! Penses-y, Arthur: mille millions, c'est du monde en s'il vous plaît...

— Nous sommes si nombreux dans le monde?

Un cri strident fit sursauter les deux hommes, qui tendirent une oreille inquiète. Un vagissement résonna; le nouveau-né semblait en parfaite santé. Artémise avait sûrement donné une bonne claque sur les fesses du poupon, car ce dernier paraissait en colère. Les deux hommes firent cul sec. Affichant un grand sourire, Charles Lemaire remplit les deux verres.

— Je crois que nous avons un fils et un petit-fils, si je me fie à sa hargne envers Artémise! plaisanta Charles. Je crois qu'il est préférable d'attendre que nous soyons appelés, avant de monter. À ta santé, mon gendre, et toutes mes félicitations!

— C'est plutôt Eugénie qu'il faut féliciter, monsieur Lemaire, répondit Arthur, sous le choc.

— Maintenant que tu as fait de moi un grand-père heureux, tu pourrais m'appeler «le beau-père»!

— Je suis d'accord, mais quand je travaille, je préfère vous appeler «patron»! Qu'en dites-vous?

— C'est parfait pour moi, si c'est ce que tu souhaites, Arthur.

— Voilà Artémise qui nous appelle! Il est temps d'aller voir la nouvelle maman et le bébé.

— Vas-y d'abord, Arthur. Tu as droit à un moment d'intimité avec ta petite famille. Je monterai un peu plus tard avec ma Reine. Au fait, je me demande bien où elle se trouve présentement. Si tu la croises, dis-lui que je veux la voir.

— Bon, je vais monter. Si je vois votre épouse, je lui transmettrai le message.

Arthur grimpa l'escalier quatre à quatre. Il s'immobilisa sur le palier en entendant la voix de sa belle-mère, qui était déjà dans la chambre d'Eugénie. Tenant probablement le bébé dans ses bras, elle roucoulait de bonheur. Arthur ressentit un petit pincement de jalousie, mais refoula ce sentiment avant d'entrer dans la pièce. Rempli d'admiration, il se pencha sur Eugénie. Il la trouvait belle malgré ses traits tirés ; visiblement, elle était allée au bout de ses forces.

— Votre femme a bien fait ça, Arthur ! annonça Artémise. Pour une femme si menue, cela a été un accouchement exceptionnel : aucune déchirure. C'est sûrement à cause de l'huile de castor.

— Merci, Artémise, d'avoir assisté mon épouse pendant son accouchement ! Et le bébé, lui, comment va-t-il ?

— Un gros tocson en santé, mais pas bien long…

— Pouvez-vous me laisser regarder le bébé, belle-maman ?

— C'est un beau bébé, Arthur ! Eugénie peut être fière.

— Peux-tu donner le petit à Arthur, maman ? intervint Eugénie.

— J'allais oublier de vous dire que votre mari voudrait vous voir dans son bureau, mentionna Arthur avant de prendre le bébé des bras de sa belle-mère.

Il regarda longuement son fils, puis il passa en revue ses pieds, ses mains. Tout était normal. Satisfait, Arthur remit le nourrisson à sa femme.

— C'est vrai qu'il est beau, Eugénie.

— Je ne l'ai pas fait toute seule, Arthur !

— Ça fera une bonne relève sur la ferme. J'aurais bien aimé qu'il naisse dans la maison des Robichaud, mais ce n'est pas si important parce qu'il va vivre là-bas d'ici peu, n'est-ce pas?

— Mon père et toi, avez-vous trouvé quelqu'un pour te remplacer?

— Non, mais ton père devra bientôt engager un régisseur parce que moi, j'ai hâte de retourner à la maison. Les travaux sont terminés depuis belle lurette et le printemps arrive. Je vais encore laisser un mois à ton père pour embaucher quelqu'un. Comme ça, tu auras le temps de te remettre de ton accouchement. Mon père a vraiment besoin de moi. La dernière fois que je l'ai vu, j'ai senti qu'il n'allait pas bien…

— J'espère que je serai bien acceptée par ta famille.

— Mon père t'adore. Quant à mes sœurs et à mon p'tit frère, je suis sûr que tout se passera bien avec eux. Pour sa part, ma mère avait peur que tu sois incapable d'accoucher sans difficultés majeures. Tu viens de lui prouver le contraire. Sais-tu pourquoi ma mère était si craintive à ton sujet? C'est parce qu'elle a eu des problèmes à la naissance d'Adrien. Elle a failli mourir, et le bébé aussi…

— Je comprends maintenant ses réticences à mon égard. Pourquoi as-tu attendu si longtemps avant de tout me raconter?

— J'ai oublié, mais j'aurais dû y penser, déclara Arthur.

— Ce n'est pas grave. Il est beau notre bébé, n'est-ce pas ?

— Bien sûr ! Je priais tous les soirs pour que ce soit un garçon en santé. Tu as rempli ta mission à merveille, ma chérie. Je ne pensais pas qu'on pouvait aimer autant que je t'aime en ce moment.

— J'irai avec joie vivre dans ta famille, même si ma mère n'est pas d'accord. Elle a peur que je sois mal accueillie. Mais je serai avec toi, et c'est tout ce qui compte.

À Stanbridge East, la maison était prête à recevoir le fils de Basile et sa petite famille. Arthur, aidé par son père, préparait l'installation dans l'agrandissement de la maison paternelle chaque fois qu'il pouvait se libérer de ses fonctions chez les Lemaire. Le soir, durant le mois de mars 1896, il refaisait le trajet inverse pour retourner auprès de sa douce Eugénie et du petit Émile. Sa belle-mère était folle du bébé, au point qu'Eugénie s'en plaignait à son mari. Arthur pressentait que ce ne serait pas facile de trancher le nœud gordien avec Marie-Reine. Celle-ci tenait ce genre de propos à sa fille : « Tu vas t'ennuyer de ton piano, Eugénie », « Tu n'auras plus l'aide d'Artémise, tu sais ! » Ce à quoi, la jeune femme répliquait : « Ce n'est pas si grave. Et comme je suis la seule à jouer du piano, je ne serais pas surprise que papa m'en fasse cadeau », « Ne t'inquiète pas, maman. Artémise m'a appris beaucoup de choses, alors je saurai me débrouiller. »

Marie-Reine tentait de décourager Eugénie, plutôt que de l'encourager à s'adapter à la nouvelle vie qui l'attendait.

Devant cette situation, Arthur grinçait des dents. Il faisait pression sur son beau-père afin de reprendre sa liberté le plus rapidement possible. Finalement, Arthur entrevit une lueur d'espoir lorsqu'il trouva l'homme parfait pour le remplacer. Ce dernier n'était pas de la région, mais il avait plu sur-le-champ à Arthur et à M. Lemaire. Josépha (Joe) Picard connaissait le métier et avait obtenu d'excellentes références de ses anciens patrons. Alors qu'il travaillait près de Farnham, il était tombé sous le charme d'une femme du coin. Joe avait marié la jeune veuve, mère de trois enfants. Il avait quarante ans et son âme sœur moins de trente ans. Charles Lemaire avait justement une maison vide sur une terre voisine qu'il avait achetée d'un fermier qui était allé tenter sa chance aux États-Unis, fatigué de s'éreinter sur une terre de roches.

Arthur et Eugénie se préparaient à s'installer à Stanbridge East. Arthur avait commencé à déménager les meubles faisant partie de la dot de sa femme. Charles Lemaire avait voulu donner le piano à Eugénie. Mais sa femme avait mis le holà à ce don, même si elle ne savait pas jouer de cet instrument. Arthur avait dénoué l'affaire, disant qu'il doutait qu'il y ait de la place pour le piano dans la maison des Robichaud. Charles était ulcéré que sa femme soit intervenue dans l'affaire de la dot. Il fut décidé que la majorité du trousseau d'Eugénie resterait chez les Lemaire. De toute façon, à quoi serviraient la vaisselle, la verrerie, la coutellerie et beaucoup d'autres objets ? Cela ne ferait que dédoubler ce qu'Olympe possédait déjà. Eugénie était peinée de laisser derrière elle toutes ces choses qu'elle avait choisies avec amour. Toutefois, elle ne voulait pas en faire tout un plat parce que, déjà, la tension montait au sein de son couple. Arthur ne voulait pas surcharger l'espace déjà restreint dont sa famille et lui bénéficieraient.

— Il faut qu'on soit capables de grouiller dans notre zone. Si tu apportes toutes tes affaires, on n'aura pas de place pour le berceau d'Émile, si ça continue…

— Tu as raison. Mais je veux garder toute la literie et l'édredon, avec le lit.

— Fais ce que tu veux, Eugénie, mais je ne voudrais pas être obligé de tout rapporter chez tes parents, riposta Arthur, excédé. À eux seuls, tes vêtements vont remplir la garde-robe, qui n'est pas très grande. Je me demande où je vais mettre mon linge. Pourquoi pas dans l'étable, un coup parti?

Eugénie se réfugia dans sa chambre en pleurant. Déjà, une fissure apparaissait dans le vernis du ménage. Tout n'était pas rose pour le couple sur le point d'entreprendre une autre étape. Eugénie avait peur quand Arthur perdait patience pour des riens. Il fallait qu'elle accepte l'avenir amer qui l'attendait chez les Robichaud. Elle broyait du noir à cause de sa dépression post-partum. Elle se sentait inadéquate dans tout : dans les soins à donner à son bébé ; dans ses rapports avec son mari, qui voulait faire l'amour alors que son corps était encore trop sensible. Rien ne lui venait à l'esprit pour résoudre ses problèmes. Eugénie était bien jeune, à peine dix-sept ans, et sa tête bourdonnait sans cesse. Elle ne se trouvait pas attirante et, de plus, elle allaitait son bébé qui était gourmand comme un ogre. Comment Arthur pouvait-il la solliciter pour le sexe ? Malheureusement, personne n'avait expliqué à Eugénie qu'il y avait des options autres que la pénétration pour soulager son mari. Elle trouvait Arthur égoïste ; de plus, ce dernier avait la fâcheuse manie de bouder pour des peccadilles.

Le coup de grâce survint un soir. Arthur revint catastrophé de Stanbridge East avec la nouvelle que son père s'était blessé en travaillant seul dans la forêt, au bout de la terre des Robichaud. Il s'était cassé la hanche. Selon le médecin du village, il n'y avait pas grand espoir qu'il récupère pleinement de sa blessure. Le médecin avait ajouté que Basile ne serait plus jamais le même homme. Cela signifiait qu'Arthur avait de fortes chances de devenir le chef du clan Robichaud bien plus tôt qu'il s'y attendait. Quoi qu'il en soit, Arthur devait prendre la relève à la ferme dès maintenant. Le jeune homme était très déçu, car il avait toujours cru qu'ils seraient deux pour développer la terre à sa pleine capacité. Non seulement son père ne pourrait plus contribuer, mais il représenterait une charge supplémentaire. Arthur avait beau aimer sa famille, son père, sa mère, ses deux sœurs et son frère, il ne voyait pas comment il y arriverait avec seulement ses deux bras. Tout le monde devrait mettre l'épaule à la roue sans rouspéter.

Chapitre 5

M. Lemaire aurait aimé garder son gendre, sa fille et son petit-fils dans sa grande maison. Il appréciait grandement le regain de vie que le trio avait apporté dans sa demeure. Arthur, qui était devenu indispensable à la ferme, était son bras droit. Ce dernier avait trouvé un bon homme pour le remplacer. Mais l'entrée en fonction de Joe Picard, prévue à la fin du mois, devrait être devancée. Le sort en avait décidé ainsi.

La mine basse, Arthur avait déclaré :

— Patron, j'ai de mauvaises nouvelles ! Mon père s'est estropié en travaillant dans le bois tout seul. Pourtant, je lui avais souvent répété que c'était dangereux, mais comme d'habitude, il n'en a fait qu'à sa tête. Je dois avancer mon départ parce qu'on a besoin de moi à la ferme. Pouvez-vous vous organiser avec Joe Picard pour qu'il prenne ma place tout de suite ?

— C'est si grave que ça, Arthur ?

— Le docteur m'a dit qu'il ne reviendra jamais comme avant et que la convalescence sera longue.

— Ton père est où, présentement ?

— Chez le docteur, mais il faudrait l'amener à l'hôpital. Le problème, c'est qu'on ne sait pas quel serait le meilleur établissement pour lui.

— À mon avis, ce serait à Montréal, à l'Hôpital général ou à l'hôpital Notre-Dame. Je n'en connais pas d'autres. Il faudrait qu'on le transporte à la gare de Farnham ou de Saint-Jean, et ensuite, une ambulance le conduirait à l'hôpital.

— Ça va coûter une fortune, tout ça, patron !

— Je me charge des frais, Arthur. Ne t'inquiète de rien.

— Je ne suis jamais allé à Montréal de ma vie. Je vais me perdre là-bas. Et puis, il faut que je m'occupe de la ferme. Le train ne se fera pas tout seul.

— Quand il y a un problème, il y a toujours une solution, dit Charles Lemaire d'un ton de reproche. Souviens-toi de cela, mon gendre !

D'une voix plus douce, il ajouta :

— On va demander à un de nos hommes d'aller faire le train chez vous, si ta mère accepte de le loger pour le temps que ça prendra. Ce sera pour deux ou trois jours, tout au plus,

— Vous êtes bien fin pour ma famille. Je ne l'oublierai jamais, je vous le jure.

— Contente-toi d'aimer ma fille, de lui donner une belle vie, et je serai satisfait. Après tout, je ne ferais que mon devoir de chrétien.

M. Lemaire organisa le transport de Basile. Le blessé souffrit le martyr à cause des nombreuses ornières dans les chemins de campagne. Toutefois, il n'émit aucune plainte, se contentant de serrer les dents. Pour réduire la douleur, le médecin l'avait emmailloté des pieds jusqu'en dessous des bras et lui avait administré du laudanum, mais ce fut insuffisant. Il avait remis une fiole du médicament à Arthur, lui conseillant de ne pas dépasser la dose recommandée. En arrivant à la gare Windsor, Charles Lemaire téléphona à l'Hôpital général de Montréal et demanda une ambulance. Arthur n'avait jamais vu un téléphone de sa vie. Il fut encore plus éberlué en voyant l'ambulance tirée par deux chevaux. Un cocher menait les bêtes, et deux brancardiers prenaient place dans le fourgon.

À la suggestion de Charles Lemaire, Basile et son fils avaient mis leurs plus beaux vêtements. Arthur portait son habit de noces et avait ciré ses bottines. Les gens étaient si bien vêtus à Montréal qu'il était content d'avoir suivi les conseils de son beau-père, même s'il avait le cou en feu à cause de son faux col. Une fois à l'hôpital, Basile fut conduit dans une salle d'opération, où on l'examina attentivement. On découvrit que le patient souffrait d'une fracture du col du fémur. Il n'y avait pas d'autre option que de souder le fémur – ce qui signifiait que la jambe n'aurait plus de flexibilité et que la hanche resterait paralysée. Basile demeura stoïque devant le diagnostic. Il se demandait comment il finirait ses jours, en supposant qu'il ne trépasse pas durant l'opération.

Après l'intervention, un chirurgien vint s'adresser à Arthur et à Charles Lemaire :

— Il faudrait garder M. Robichaud ici quelques semaines, pour s'assurer qu'il ne fera pas d'infection puisque nous avons dû installer des vis temporaires dans sa jambe. Celles-ci empêcheront le fémur de bouger. Nous espérons que le tout se ressoudera parfaitement. Si tout va bien, il pourra encore marcher, mais sa démarche sera instable. Il sera limité…

— Est-ce que nous pouvons lui parler ? demanda Arthur.

— Je n'ai aucune objection, mais ne restez pas trop longtemps. Il est sous médication.

Arthur et son beau-père gagnèrent la salle commune, où se trouvait une douzaine de patients. Certains d'entre eux étaient alités ; d'autres étaient assis sur une chaise près de leur lit. Arthur se précipita au chevet de son père.

— Comment ça va, papa ?

— Je suis un homme fini, mon gars ! lança Basile, l'air découragé.

— Ne dis pas ça, voyons ! Tu vas pouvoir encore marcher, c'est tout ce qui compte.

— Comme un boiteux, si je suis chanceux…

— Attends de voir avant de déprimer. Je t'ai souvent dit de ne pas aller bûcher tout seul. Je ne veux pas t'effrayer, mais t'aurais pu mourir tout seul dans le bois. La chance a été de ton côté, mais t'as peut-être aggravé ta blessure en essayant de te libérer de l'arbre qui t'écrasait. L'important, c'est que tu sois vivant !

— Je ne sais pas ce que ça va me donner d'être vivant.

— Tu vas passer au moins deux semaines à l'hôpital. Après, tu pourras revenir à la maison.

— Ça va coûter une fortune !

— Ne vous en faites pas pour ça, Basile, intervint Charles Lemaire. Je prends en charge toutes les dépenses.

— Vous ne me devez rien, protesta Basile.

— Je fais mon devoir de chrétien, tout simplement.

— Arrête de t'inquiéter, papa ! Mon beau-père paiera toutes les dépenses. Mais penses-tu que tu seras capable de passer les deux prochaines semaines tout seul ici, sans visite ? C'est loin de chez nous, Montréal…

— Arrête de me traiter comme un enfant, Arthur ! Bien sûr que je suis capable, mais je vais manquer de tabac. Ma blague est pleine, seulement, j'en passe une par semaine, d'habitude.

— Est-ce qu'on a le droit de fumer dans un hôpital, monsieur Lemaire ?

— Je pense que oui, mais tout comme vous, c'est la première fois que je viens dans ce genre d'endroit. On va vous acheter du tabac avant de retourner par chez nous, Basile, promis !

— Demain matin, avant de partir, on viendra voir comment tu te sens et on t'apportera du tabac, papa.

— C'est parfait, Arthur. Et merci pour tout, monsieur Lemaire.

Charles Lemaire et Arthur Robichaud se sentaient dépaysés dans la grande ville. Ils prirent une calèche pour retourner à l'hôtel. Il n'y avait pas de neige à Montréal, ce qui parut étrange aux deux hommes.

— Que dirais-tu de faire un tour de ville, Arthur ? lui proposa Charles. Ça te ferait quelque chose à raconter aux gens du village.

— Avez-vous déjà visité Montréal ?

— Jamais, et je suis très curieux de la découvrir !

— J'aimerais bien ça, moi aussi.

Charles Lemaire héla un cocher, à qui il demanda de le déposer à une tabagie et de l'attendre. Une fois ses achats terminés, il dit à l'homme qu'Arthur et lui voulaient visiter la vieille ville, qui longeait le fleuve. Le cocher se fit un plaisir d'acquiescer à sa requête. Il mena ses passagers dans le Vieux-Montréal.

— Arthur, je ne sais pas si ton père va aimer ce que je lui ai acheté, confia Charles. Une livre de ce tabac au rhum le changera de son tabac canadien qui pue !

— Je suis certain qu'il ne s'est jamais payé un tel luxe. Celui qu'il fume, il le fait pousser lui-même.

— C'est une belle ville, Montréal, n'est-ce pas, Arthur ?

— Il y a de beaux bâtiments ici, c'est vrai, mais les rues sont raboteuses…

— C'est parce qu'elles sont pavées. Quand il pleut ou qu'il neige, c'est moins salissant que dans nos villages, avec leurs chemins de terre.

— Vous avez raison ; je n'y avais pas pensé ! Pour les femmes, avec leurs robes qui touchent quasiment à terre, c'est sûrement plus pratique.

— Que diriez-vous d'assister à une projection d'images animées comme dans la vraie vie, messieurs ? proposa le cocher. Tout près d'ici, sur la rue Saint-Laurent, il y a un endroit qui s'appelle « Le Cinématographe ». Vous assisterez à une expérience extraordinaire qui tient du miracle. C'est à n'y rien comprendre, mais ça fonctionne.

— Qu'est-ce que tu en penses, Arthur ? Ça peut être intéressant, si ce n'est pas une fumisterie.

— Ça dépend du prix.

— Je t'ai dit de ne pas te préoccuper de l'argent. De toute façon, ça me prend un témoin, sinon ma Reine me prendra pour un fieffé menteur. Allons-y !

Les deux hommes assistèrent à un événement qui dépassait l'entendement. Même s'ils connaissaient la photographie, voir des personnes et des animaux bouger comme dans la vraie vie ressemblait à de la magie. Lorsque Charles et Arthur quittèrent ce lieu situé au troisième étage d'un édifice près du port, ils étaient ébahis. Jamais leurs femmes ne les croiraient, même si tout était vrai. Il était temps de retourner à l'hôtel Balmoral pour souper. Arthur en venait presque à oublier la raison de sa présence dans cette ville où il y avait tant à voir. Il ne voulait pas trop penser à ce qui l'attendait à son retour sur la terre familiale. Charles Lemaire faisait de son mieux pour le distraire, car il considérait que le jeune homme était dans le pétrin jusqu'au cou.

Charles Lemaire s'était montré généreux en donnant non seulement du bétail à Arthur, mais aussi un gros montant d'argent. Il tenait à épauler son gendre et Eugénie. Arthur aurait une surcharge de travail, et l'atmosphère dans la maison des Robichaud ne serait pas des plus joyeuses. Charles aurait bien aimé que sa fille et son petit-fils séjournent plus longtemps chez lui, le temps que la routine s'installe chez

Arthur, mais le devoir de sa fille était de rester auprès de son mari pour le soutenir. Mais en serait-elle capable ? Charles Lemaire en doutait ; sa fille était bien jeune pour assumer de pareilles responsabilités. Elle lui faisait songer à l'oisillon prenant sa première envolée. Eugénie se briserait-elle une aile dans l'aventure ? Arthur ferait-il preuve de patience à son égard ? Il avait vu ce dernier traiter des hommes durement, même s'il l'approuvait. Lui n'avait pas cette poigne ni avec ses hommes engagés, ni avec sa femme et ses enfants. Charles n'aurait pas aimé vivre sous la férule de son gendre.

Le lendemain, Arthur et son beau-père s'arrêtèrent à l'hôpital pour donner le tabac à Basile. Le patient était plus lucide que la veille.

— Tiens, Basile ! fit Charles. L'arôme de ce tabac est délicieux ; il se répandra sur ton passage, et tes voisins t'envieront. Arthur et moi, nous ne resterons pas longtemps, car il ne faut pas rater le train. Maintenant, je te laisse seul avec ton fils quelques instants. J'attendrai dans le couloir.

— Merci, Charles, pour ta générosité. J'espère qu'un jour, je pourrai te rendre la pareille. Sinon, notre Seigneur à tous te récompensera au centuple.

— N'aie crainte, Basile ! Notre Seigneur est juste et bon. Il saura protéger ta famille.

Charles Lemaire s'éloigna après avoir serré la main du brave homme. Ensuite, Arthur fit ses adieux à son père. Voulant le rassurer à son tour, il prit l'épaule de Basile.

— Je ne veux pas que tu te tracasses pour nous, papa. Je saurai prendre soin de la famille en ton absence. Quand tu reviendras à la maison, ton petit-fils et ma femme seront bien installés dans nos quartiers. Les affaires marcheront rondement, tu verras !

— Ne sois pas trop dur avec eux. Je sais que tu en es capable ; pas par malice, mais par souci d'efficacité. Laisse les nouvelles prairies en jachère, c'est trop de travail pour un seul homme. On peut vivre correctement avec les prairies déjà cultivées. Il faut que tu t'occupes en priorité des animaux que ton beau-père t'a donnés pour améliorer notre cheptel. Et fais accoupler toutes les vaches.

— M. Lemaire m'a offert un taureau et deux belles génisses qui n'ont pas encore été saillies, mais qui sont prêtes.

— Selon toi, ce sont des bonnes bêtes ?

— Oui. Mon beau-père ne m'aurait pas refilé des animaux de moindre qualité.

— Dans ce cas-là, fais saillir les deux génisses avec notre taureau tout de suite, et…

— Arrête, papa! Je sais exactement ce que je dois faire. Mon beau-père ne m'aurait jamais embauché comme régisseur si je n'avais pas été à la hauteur, famille ou pas!

— Excuse-moi. Je te fais confiance, Arthur. Je sais que tu me feras honneur.

— Je reviendrai dans deux semaines, à moins qu'on reçoive un télégramme avant. Salut, papa!

— Salut, mon gars!

Le voyage de retour parut plus court que l'aller – sans doute parce que le transport de Basile avait été problématique. Maintenant, Charles et Arthur pouvaient admirer en toute quiétude le paysage qui défilait devant eux. Le printemps était bien installé: le soleil les réchauffait à travers la fenêtre du wagon. Pour Arthur, le retour du beau temps était synonyme de dur labeur sur la terre. En plus, le déménagement n'était même pas terminé. Quand les deux hommes arrivèrent à Farnham, un des employés du domaine les attendait pour les ramener à Sainte-Brigide. Eugénie et Marie-Reine sortirent de la maison dès que l'attelage de chevaux pénétra dans la cour.

— Vous avez fait un bon voyage? s'enquit Eugénie. Mais où est ton père, Arthur?

— Il s'est fait opérer. L'intervention a été un succès, mais il restera au moins deux semaines à l'hôpital, si ce n'est pas plus longtemps… On nous enverra un télégramme, dès qu'il pourra sortir.

— Il ne faut pas trop s'inquiéter, le rassura sa femme. Ton père est un homme vigoureux, malgré son âge. Au fait, il a quel âge, ton père, Arthur ?

— Tout ce que je sais, c'est qu'il a dépassé la quarantaine…, répondit Arthur, l'air excédé.

— Ici, tout va bien ? s'informa Charles Lemaire auprès de sa femme et de sa fille.

— J'ai fini de trier ce que j'apporterai à Stanbridge East, déclara Eugénie.

— Il faudrait que j'avertisse ma mère de la situation, énonça Arthur. Comme je la connais, elle doit se faire du sang de punaise.

— Ça ne te donne rien de courir chez ta mère, lança son beau-père. Elle ne nous attendait pas avant demain, de toute façon. Reste souper avec nous et, demain matin, nous chargerons le reste du butin d'Eugénie. Vous pourrez partir tranquilles et prendre le temps de vous installer. Un de mes hommes conduira la voiture et la ramènera ensuite. Qu'en dis-tu, Arthur ?

— Je vais suivre votre conseil. Ici, je peux relaxer, ce qui me fera du bien – d'autant plus que j'aurai beaucoup de pression en rentrant à la maison. De toute manière, demain, il sera bien assez tôt pour affronter la réalité qui m'attend.

Eugénie grimaça. Elle connaissait déjà suffisamment son mari pour percevoir, d'après son timbre de voix, qu'il était stressé. C'était suffisant pour qu'elle angoisse à son tour. Le bébé se mit à pleurer. Arthur jeta un regard à Eugénie. La jeune femme se rendit en courant auprès d'Émile.

Le petit tétait le sein de sa mère avec vigueur. Eugénie avait les mamelons irrités. Artémise lui avait suggéré d'appliquer sur ceux-ci l'onguent qu'on utilisait pour soigner les pis des vaches, mais les résultats escomptés n'étaient pas au rendez-vous. Il fallait que la jeune maman nettoie ses seins avant de nourrir Émile, sinon ce dernier criait de rage, car il détestait le goût de cet onguent. C'est à peine si Eugénie pouvait supporter le moindre frottement de vêtement sur ses seins douloureux. Après chaque tétée, elle changeait la couche du bébé. La tétée et les soins du nourrisson se passaient toujours dans la chambre du couple.

Eugénie ignorait pourquoi elle ressentait un malaise face à Arthur. Cependant, depuis la naissance d'Émile, il avait changé. Il était moins doux et, plutôt que d'attendre qu'elle s'offre à lui, il exigeait. Marie-Reine croyait que sa fille souffrait d'une dépression post-partum et qu'elle vivait de l'insécurité face à ses nouvelles responsabilités de maman et d'épouse. Eugénie doutait des propos de sa mère, car elle savait qu'Arthur s'était endurci et qu'il n'était plus le même homme. Avait-il cessé de l'aimer quand elle était devenue maman ? Maintenant, elle n'était plus uniquement sa maîtresse qui, non seulement se donnait à lui, mais le provoquait. Malheureusement, la situation ne pourrait qu'empirer après l'installation chez les Robichaud. Eugénie avait peur de l'avenir qui se dessinait devant elle. Chassant ses pensées noires, elle descendit avec Émile et alla rejoindre le reste de la famille.

— Tout va bien, Eugénie ? s'informa Arthur.

— Oui, mais il a fallu que je change la couche d'Émile. Et c'est un vrai petit glouton !

— Artémise a préparé un bon rôti de bœuf. Viens manger !

Eugénie déposa Émile dans son moïse avant de s'asseoir à la table. Elle remarqua que son père et son mari s'étaient versé un verre de sherry. La jeune femme songea qu'Arthur ne buvait pas à l'époque où elle l'avait connu. Par contre, son père appréciait l'alcool d'aussi loin que ses souvenirs remontaient. Pour sa part, Eugénie n'aimait pas l'alcool ; quel intérêt y avait-il à altérer son comportement ? Certaines personnes perdaient tout contrôle dès qu'elles buvaient.

Tout le monde discutait de la mauvaise fortune de Basile et, par ricochet, de celle d'Arthur. Ce dernier semblait prendre plaisir de ce fait, même s'il témoignait une certaine pitié à l'égard du sort de son père. Arthur laissait entendre qu'il était l'homme de la situation et qu'il le confirmerait par son courage.

— Je ne vous souhaite pas un tel malheur, madame Lemaire, déclara-t-il. Cela peut arriver à n'importe qui. J'avais pourtant prévenu mon père de ne pas aller bûcher tout seul.

— Oui, mais Basile avait-il vraiment le choix, Arthur ? lui répliqua son beau-père.

— Il n'y avait pas d'urgence ; mon père savait que j'étais sur le point de revenir à la maison. Il avait probablement fait toutes ses grosses corvées. Comme ce n'est pas le genre d'homme à rester oisif, il a décidé d'aller bûcher, pour s'assurer qu'on ne manquerait pas de bois sec l'année prochaine quand viendrait le temps de chauffer. Comme on ne coupe que les arbres malades pour chauffer, c'est plus dangereux.

— Tu as un bon raisonnement, mon gendre, le complimenta Charles. D'ailleurs, c'est pour cette raison que je voulais te garder comme régisseur.

— Vous êtes bien aimable, monsieur Lemaire. Mais avec la tournure des événements, ma place est sur la terre des Robichaud, avec ma famille. J'espère que tout se passera pour le mieux.

— Tu as l'air bien décidé, en tout cas ! le relança son beau-père.

Marie-Reine écoutait d'une oreille distraite la conversation des deux hommes. Pour sa part, Eugénie percevait le non-dit contenu dans les propos de son mari. Un grand défi les attendait, Arthur et elle. La jeune femme craignait le pire – et son intuition l'avait rarement trompée. Elle aurait voulu demeurer chez ses parents au moins jusqu'au retour de l'hôpital de son beau-père. Mais elle savait qu'Arthur perdrait patience au moindre faux pas qu'elle ferait. Eugénie devinait que l'air suffisant qu'arborait Arthur pour se donner contenance cachait une grande nervosité.

Chapitre 6

Le couple s'était installé tant bien que mal dans la maison des Robichaud. Eugénie ne faisait pas l'unanimité dans sa belle-famille. Elle était de loin la plus jolie femme du clan, et aussi la plus cultivée. Elle ressentait la jalousie latente et l'envie des autres. Son piano lui manquait, et elle vivait presque en recluse dans les quartiers réservés au couple. La vie était plus rustique ici, mais elle s'y était habituée graduellement. La jeune femme devait travailler comme tout le monde dans la famille, en plus de s'occuper de son fils qui grandissait rapidement. Émile marchait déjà. Eugénie le surveillait constamment – au détriment de ses nombreuses tâches –, car elle avait peur qu'il se brûle sur le poêle.

— Laisse-le donc tranquille, Eugénie! s'écria Arthur, exaspéré. Émile va se brûler juste une fois. Ensuite, il va se tenir loin du poêle – à moins qu'il soit idiot.

— Notre fils n'est pas idiot!

— Tu le couves trop; tu vas en faire une femmelette. Lâche-le un peu, pis fais plutôt ton ouvrage.

— Quand j'irai me coucher, tout mon ouvrage aura été fait! répliqua Eugénie d'un ton courroucé.

— Change de ton quand tu me parles! s'indigna Arthur. Tu me dois respect.

— Le respect, ça se mérite ! lui rétorqua sèchement Eugénie.

— T'es ben chanceuse que nous soyons seuls, car j'aurais été obligé de sévir.

Eugénie se vida le cœur :

— Tu m'aurais battue ? Giflée ? Ne t'avise jamais de me frapper ; sinon, je retournerai à Sainte-Brigide aussi vite que je suis arrivée ici. Même tes sœurs n'en peuvent plus de ta dictature ! Je ne sais pas ce que tu essaies de prouver en agissant de la sorte, mais tu n'es plus l'homme que j'ai connu, il y a à peine deux ans. Qu'est-ce que ce sera dans dix ans ?

— Parlons-en de mes sœurs ! J'ai tellement hâte qu'elles partent de la maison. Ça fera moins de bouches à nourrir.

— Tu oublies que Cora et Blanche travaillent, elles aussi. Je suppose que tu me feras traire les vaches à leur place ? Il y a des limites : les femmes ne sont pas des esclaves, après tout !

— Je reconnais bien la bourgeoise élevée dans la ouate que t'es ! Ici, ce n'est pas un domaine comme celui de ton père, mais une terre d'habitants pleine de roches. Au lieu de rester encabanée, tu devrais aller voir le mur de roches que j'érige tout autour des prairies. Tu te rendrais compte que je travaille comme un déchaîné pour laisser un héritage à mon garçon, que tu es en train de gaspiller à force de le couver. Sois certaine que je ne te laisserai pas faire, Eugénie Lemaire !

Eugénie n'était plus capable de supporter le ton hargneux de son mari. Elle avait l'impression qu'il la haïssait. Ne pouvant retenir ses larmes plus longtemps, elle s'enfuit dans sa chambre. La jeune femme regrettait amèrement son mariage et se trouvait stupide d'avoir cru qu'Arthur serait toujours plein d'attentions à son égard. Après s'être ressaisie, elle vaqua à ses occupations.

Olympe prenait soin de son mari estropié et d'Adrien, son petit dernier, qui souffrait de tuberculose depuis son plus jeune âge. Personne ne croyait que ce petit garçon doux vivrait longtemps. Eugénie lui démontrait beaucoup d'affection – ce qu'Olympe avait remarqué. Celle-ci avait changé d'attitude envers sa bru ; maintenant, elle l'aimait comme sa propre fille. Elle la plaignait, car elle voyait bien la transformation chez Arthur. Graduellement, le côté obscur de son fils prenait le dessus.

Ce soir-là, Arthur rentra tard, l'air furieux. Eugénie lui avait laissé une assiette dans le réchaud du poêle et elle s'était couchée tôt. Arthur avala son repas et gagna ses quartiers. Après s'être déshabillé, il remarqua qu'Eugénie dormait, mais il voulait du sexe. Il se glissa dans le lit et se mit à caresser doucement sa femme. Comme elle ne réagissait pas, ses attouchements devinrent plus rudes. Eugénie se réveilla en sursaut et le repoussa avec force.

— Qu'est-ce que tu veux, Arthur ?

— Fais ton devoir et oublie le reste !

— Tu m'agresses pendant que je dors, maintenant ?

— T'as pas le droit de me refuser. Parles-en au curé et tu verras bien. Cesse de résister parce que tu sais que ça ne sert à rien. Je te prendrai quand même.

— Tu ne ressens vraiment plus d'amour pour moi ? émit Eugénie en se débattant.

— L'amour n'a rien à voir là-dedans ! Je te veux et je t'aurai…

— Sers-toi, mais à partir d'aujourd'hui, c'est tout ce que tu obtiendras : de la chair inerte.

Eugénie releva sa jaquette et se mit à pleurer silencieusement. Elle fixa Arthur pendant qu'il la pénétrait brutalement. Chaque coup de butoir lui apparaissait comme un viol. Son mari semblait possédé d'une fureur sans borne, comme s'il se vengeait de sa vie misérable. Ce fut très bref, et il éjacula en émettant des râles de plaisir. Arthur songea qu'il ne servait à rien à sa femme de lui résister parce qu'il gagnerait toujours. S'il déployait sa force, elle sortirait de l'expérience chaque fois plus meurtrie. Il se tourna sur le côté et s'endormit instantanément. Si Eugénie avait eu un couteau à la main, elle l'aurait poignardé. Elle se sentait souillée. Elle se leva pour s'essuyer et se laver. C'était inexplicable qu'Arthur se soit transformé radicalement en si peu de temps. La jeune femme cherchait à comprendre, mais sa haine était trop grande pour qu'elle puisse éprouver de la compassion.

Arthur travaillait trop fort et s'abrutissait au travail, tout en rageant d'avoir reçu ce cadeau empoisonné que représentait la ferme. Il s'acharnait pour prouver qu'il en viendrait à bout, mais le travail lui paraissait sans fin. La roche poussait aussi vite qu'il la retirait du champ. Arthur en voulait à son père d'être invalide, à sa mère de le protéger, à ses deux sœurs de ne pas fournir assez d'efforts, à Adrien d'être toujours malade – en plus de nécessiter des soins constants du médecin, qu'il fallait payer. L'argent était rare – même si Charles Lemaire lui avait donné une partie de la dot d'Eugénie –, et il fondait comme neige au soleil. Finalement, il en voulait à sa femme de l'avoir aimé et de lui avoir donné un fils ; l'enfant s'ajoutait au fardeau déjà trop lourd pour ses épaules. Eugénie l'avait pris au piège en l'enjôlant alors qu'il était trop jeune pour assumer de telles responsabilités. Il aurait aimé tenter sa chance aux États-Unis comme tant d'autres, quitte à revenir chez lui si ça ne marchait pas. Il en voulait donc à la terre entière, mais Arthur était trop orgueilleux pour avouer qu'il était malheureux. S'il était resté régisseur chez Charles Lemaire, il aurait pu partir n'importe quand. Il aurait eu le choix. Mais Eugénie, avec sa grande beauté, avait brisé tous ses rêves d'aventures.

— Cora, il va falloir que tu viennes faner le foin quand le train sera fini. À bien y penser, finis le train toute seule. C'est Blanche qui va venir faner.

— J'ai jamais fait ça, Arthur, et j'ai peur des chevaux ! répondit Blanche, paniquée.

— C'est ce matin que tu vas apprendre. Et ne rouspète pas !

— J'aime mieux finir le train, répliqua Blanche.

— Je vais aller faner, proposa Cora.

— Vous contestez mon autorité, maintenant ? hurla Arthur, en colère.

— Blanche a proposé de finir le train toute seule, alors que je sais faner le foin et que je n'ai pas peur des chevaux. Il n'y a pas de problème, Arthur.

— Il est temps que vous vous mariiez avant que je vous étripe, toutes les deux…

— T'as intérêt à te calmer, le frère ; sinon, tu vas te retrouver tout seul avec ta maudite ferme ! lança Cora, la plus âgée des deux sœurs et la plus courageuse.

— Maudite tête de mule ! Fais donc comme tu veux, mais j'espère que ton prétendant va se déniaiser bientôt. Et ça vaut pour toi aussi, Blanche. Mariez-vous et sortez de ma vie une fois pour toutes, baptême !

— Si tu savais à quel point nous sommes tannées de vivre sous le même toit que toi, Arthur ! répliqua Cora. T'es bien chanceux que papa soit infirme et qu'il soit à ta merci parce que ça se passerait autrement !

Le soir même, les deux sœurs écrivirent à leur prétendant respectif, expliquant la situation insoutenable qui prévalait sur la ferme familiale. Elles ajoutèrent que la dictature exercée par leur frère Arthur avait atteint un point de non-retour. En effet, ce dernier menaçait de les jeter à la rue si elles ne se mariaient pas bientôt. Elles terminèrent en mentionnant que si leurs amoureux étaient sérieux dans leur intention de les épouser, il était grand temps qu'ils se déclarent officiellement. Les réponses ne se firent pas attendre. Lucien Dandenault, le prétendant de Cora, se présenta à la ferme pour demander à Basile la permission d'épouser sa fille aînée. Pour sa part, Damien Boisclair avait reçu la lettre avec un peu de retard parce qu'il était commis voyageur. Il se présenta durant la semaine, un peu avant le souper. Si Blanche acceptait de le suivre à Saint-Jean-d'Iberville où était située la compagnie pour laquelle il travaillait, il était prêt à demander sa main. Basile précisa à Damien – tout comme il l'avait fait avec Lucien Dandenault – qu'il n'avait pas suffisamment d'argent pour offrir une dot. Tout ce que ses filles possédaient, c'était leur trousseau de mariage.

— Monsieur Robichaud, je ne m'attendais pas à recevoir une dot. En ville, ce n'est plus en vogue. J'aime votre fille et tout ce que je veux, c'est son bonheur. Je gagne un salaire décent, mais je suis souvent sur la route. J'espère que Blanche s'habituera à mon absence de deux ou trois jours par semaine. J'ai postulé pour une autre fonction, mais je dois prendre encore de l'expérience si je veux devenir directeur des ventes. Lorsque le moment sera venu, je travaillerai dans un bureau et ne m'absenterai à l'extérieur qu'occasionnellement.

— Ton ambition est tout à ton honneur, mon cher Damien ! Ma Blanche est très douce, tu sais ? Il faudra bien la traiter… Pourquoi vous ne vous marieriez pas en même temps que Cora et Lucien ? Étant donné que ma condition physique n'est pas à son meilleur, cela m'arrangerait. Mais je tiens à payer la noce, même si je ne suis pas riche. La ferme appartient à mon fils Arthur, maintenant.

— D'après ce que Blanche m'a dit, il n'est pas très commode.

— C'est parce qu'il a trop de responsabilités. Dans le fond, c'est un bon garçon.

— Espérons-le ! Je vais voir si Blanche est d'accord pour un mariage double. Elle a hâte qu'on se marie…

Damien n'osa pas insister, mais les confidences de sa bien-aimée l'avaient amené à penser qu'Arthur était un véritable bourreau. Blanche croyait même que son frère souffrait d'une maladie mentale. Damien ne connaissait rien là-dessus, mais il se tenait loin de son futur beau-frère et ne lui parlait que s'il n'avait pas le choix. Il craignait qu'Arthur devienne violent physiquement ; Damien savait qu'il n'était pas de taille à livrer bataille à cet homme habitué aux durs travaux de la ferme. Mais si ce dernier devenait grossier envers Blanche, Arthur et lui en viendraient aux coups. D'ailleurs, il n'aimait pas la façon dont Arthur le toisait chaque fois que leurs regards se croisaient. Il arborait toujours un petit sourire narquois pour signifier sa supériorité physique et son mépris pour l'homme de la ville qu'était Damien. Celui-ci en avait parlé avec le prétendant de Cora. Lucien, même s'il était plus grand et plus gros qu'Arthur, le craignait tout autant. Il avait ajouté que le frère de Cora avait l'air d'un prédateur quand il montrait ses dents. Les deux beaux-frères souhaitaient mettre le plus de distance possible entre eux et Arthur.

Les noces furent rapidement organisées, et tout se déroula comme Basile Robichaud l'avait souhaité. Les deux couples se marièrent le même jour dans l'église de Stanbridge East. Basile aurait voulu que le repas de noces se fasse à l'hôtel, mais Arthur avait mis son *veto*.

— Papa, tu as durement gagné ton argent, ce qui est une raison suffisante pour ne pas le gaspiller. Pense à tes vieux jours et à ceux de maman ; vous n'êtes pas à l'abri de la maladie. En plus, il faut penser à Adrien, qui est toujours souffrant. Ça coûte cher de le faire soigner. On devrait offrir le repas ici, où on a tout ce qu'il faut, à part la boisson.

— T'as raison, Arthur. Mais je voulais faire un effort pour tes sœurs…

— J'espère qu'elles ne veulent pas un gros mariage avec les familles et toute la patente ? On ne la connaît même pas, la parenté de ces deux gars-là ! On fera une p'tite noce intime, papa.

— Je pense que Cora et Blanche voulaient inviter la famille.

— Coudonc, on croirait qu'elles te prennent pour un millionnaire, taboire! C'est assez, les folies! On va faire comme j'ai dit : au plus simple.

Basile trouvait que son garçon avait bien changé. Il s'était contenté de hocher la tête pour signifier son accord. De toute évidence, Arthur n'aimait pas beaucoup ses deux sœurs, mais il ne semblait plus aimer grand monde – même pas Eugénie, qui était pourtant si gentille avec lui.

Le soir venu, Basile avait discuté avec ses deux filles. Mal à l'aise, il avait déclaré :

— Après y avoir repensé, j'en suis venu à la conclusion que je n'avais pas les moyens de vous payer une grosse noce. Le peu d'argent dont je dispose, c'est pour soigner Adrien – qui est toujours malade, comme vous le savez. Arthur a proposé de faire le repas ici, et d'inviter seulement vos beaux-parents.

— Je le savais qu'Arthur était là-dessous ; c'est un maudit sans-cœur! avait lancé Cora.

— N'empêche qu'il a raison : je n'ai pas d'argent…

— Vendez-la donc cette maudite terre! Je trouve ça tellement injuste que ce soit l'aîné des garçons qui hérite de tout, même à votre détriment. C'est ridicule!

— C'est la tradition, Cora. Et toi, Blanche? Tu ne dis rien, mais cela te concerne aussi.

— Moi, papa, je n'ai qu'une hâte : c'est de m'éloigner de mon frère Arthur. Mais je vous regretterai, toi et tous les autres membres de la famille, y compris Eugénie et Émile.

Chapitre 7

Cora s'installa à Farnham avec son mari Lucien Dandenault. La jeune femme tomba rapidement enceinte – au fil du temps, elle mettrait au monde plusieurs enfants. Blanche et Damien Boisclair s'établirent à Saint-Jean-d'Iberville. En 1903, un an après s'être marié, Damien obtint le poste tant convoité de directeur des ventes. Blanche faisait de la tenue de livres au sein de la même compagnie, avec d'autres employés. Elle ne semblait pas aussi pressée de fonder une famille que sa sœur Cora. Elle profitait de l'existence et adorait la vie de citadine dans cette ville bourdonnante d'activités. Elle ne s'ennuyait pas de la campagne, mais elle écrivait régulièrement à sa mère. Damien, qui l'adorait, la gâtait : il lui offrait tout le confort moderne de l'époque. Il avait acheté une maison de loyaliste comptant trois logements, ce qui lui rapportait des revenus supplémentaires.

Adrien, le plus jeune fils de Basile et d'Olympe, mourut à l'âge de treize ans, en 1904, emporté par la grippe. Olympe eut beaucoup de chagrin et elle surmonta difficilement cette épreuve. Elle fit pression sur Basile pour quitter la ferme. Cela avait été trop dur de voir Adrien s'éteindre à petit feu. Olympe avait fait tout ce qui était humainement possible pour le retenir. Basile avait accepté ce décès avec fatalisme. Dès la naissance de son fils, il avait su que celui-ci était condamné. C'était si triste de le regarder combattre son destin avec ses grands yeux creux cernés et sa maigreur d'épouvantail. Chacune de ses quintes de toux vous arrachait le cœur. Souvent, après, le mouchoir d'Adrien était souillé de sang – ce qu'il tentait de cacher. Olympe s'empressait alors de le frictionner et le soutenait jusqu'à sa chambre à l'étage. Quand elle redescendait, la pauvre femme essayait de dissimuler qu'elle avait pleuré, mais cela ne trompait personne.

— Il faudrait l'envoyer au sanatorium, avait suggéré Basile.

— Ça va l'achever s'il n'a pas la famille près de lui pour le réconforter…, avait répondu Olympe.

— Il aurait peut-être une chance de s'en sortir avec des soins spécialisés ?

— Adrien veut rester ici avec nous ; sinon, il va se laisser mourir.

— C'est comme tu veux, avait concédé Basile. Mais avec l'argent qui nous reste, notre gars pourrait recevoir les meilleurs traitements. Le docteur du village fait son possible, mais ce n'est pas un spécialiste de la tuberculose.

— C'est la grippe qu'il a !

— Il serait grand temps que tu enlèves tes œillères, ma pauvre vieille ! Adrien va mourir…

Les derniers jours, un sentiment d'impuissance avait régné sur la maisonnée. Adrien ne descendait plus pour sa toilette ou pour manger. Sa mère le lavait avec un linge imbibé d'eau froide. Elle lui apportait un bol de gruau ou de soupe pour tenter de le soutenir. Le médecin l'avait condamné et le curé était passé pour lui administrer les derniers sacrements. L'agonie d'Adrien avait représenté un véritable calvaire pour toute la famille, qui se faisait constamment réveiller la nuit. L'atmosphère était macabre et Arthur avait réagi avec violence, frustré de se sentir impuissant devant la situation.

— Est-ce qu'il va finir par mourir ? avait-il crié, un soir. Je n'en peux plus de l'entendre râler et se cracher les poumons. Quand le bon Dieu va-t-il se décider à venir le chercher ?

— Tais-toi, misérable ! avait riposté Olympe. Il peut t'entendre ! Si c'était toi qui étais malade, aimerais-tu qu'on agisse comme toi ? Je te déteste, Arthur Robichaud, ma propre chair…

— Excuse-moi, maman, mais je ne suis plus capable de l'entendre geindre tout le temps. Il faut que je continue à travailler, même si je ne dors pas de la nuit

Puis, il s'était tourné vers son fils :

— Viens-t'en, Émile, on a de l'ouvrage !

— Je n'ai pas déjeuné, papa, avait répondu Émile.

— Saute dans tes bottes, que je t'ai dit ! Tu boiras une tasse de lait en trayant les vaches.

Émile avait suivi son père dans l'étable. Lui non plus n'aimait pas vivre à proximité d'Adrien. Il ne ratait aucun râlement de celui-ci et ne dormait presque plus. Il partageait l'ancienne chambre de ses tantes avec Aimé, son petit frère. Ce dernier pleurait presque chaque nuit, car il croyait entendre des revenants, alors qu'il s'agissait des gémissements d'Adrien. Ernestine et Georgina, ses sœurs, occupaient maintenant son ancienne chambre au rez-de-chaussée. Il aurait préféré rester en bas pour être plus loin d'Adrien. Il ne voulait pas l'admettre, mais il avait peur des fantômes, lui aussi. De plus, il craignait que si son père se fâchait encore contre Adrien, ce dernier reviendrait hanter la maison après sa mort. À cette pensée, des frissons lui parcouraient le dos.

Finalement, un matin, Olympe avait trouvé Adrien mort dans son lit. La maladie avait eu raison de lui. Olympe avait pleuré toutes les larmes de son corps, mais elle avait dû se résigner à l'idée qu'une nouvelle étape de sa vie commençait. Aucun de ses enfants ne dépendait plus de son mari et d'elle. Cette longue vie de misère était arrivée à son terme. Ses sentiments étaient partagés, car elle avait des regrets, mais aussi beaucoup de rancœur. La vie avait été injuste à son égard. Olympe avait toujours été une bonne pratiquante et, malgré tout, elle n'en avait pas été récompensée. Elle en voulait à Dieu de ne pas avoir exaucé ses prières. Olympe n'avait rien à redire concernant ses deux filles, mais elle ne pouvait pas en dire autant de ses deux garçons. Arthur, son aîné, était imbu d'orgueil et égoïste. Obnubilé par le travail de la terre, il négligeait sa femme et ses enfants. Il voulait faire un éden de la ferme, alors que ce n'était qu'une vulgaire terre de roches.

De son côté, Adrien avait été gentil et aimait tout le monde, mais sa mauvaise santé ne lui avait pas donné la chance de partager sa bonté bien longtemps. Il avait toujours représenté une charge trop lourde pour son mari et elle, avait alors réalisé Olympe. Elle avait tout tenté pour le sauver, elle s'était usé les genoux à force de prier, mais sans résultat. Dieu ne l'avait pas entendue.

Basile et Olympe avaient acheté un beau cercueil pour leur enfant chéri. La famille et le voisinage étaient venus veiller dans la cuisine, transformée pour l'occasion en chapelle ardente. Olympe n'avait pas ménagé ses efforts; elle avait préparé de la boustifaille plus que nécessaire. Adrien avait eu de belles funérailles. Un long défilé était parti de la ferme pour se rendre à l'église et au cimetière. Olympe avait été reconnaissante que tant de gens se soient déplacés pour rendre un dernier hommage à son fils. Ensuite, elle avait pu commencer son deuil, non sans difficulté.

— J'ai bien de la misère à surmonter le décès d'Adrien, mon bébé, déclara-t-elle quelques semaines plus tard à son mari. Treize ans, ce n'est pas un âge pour mourir...

— Je suis d'accord avec toi, Olympe. Mais le bon Dieu l'a rappelé à lui, et on ne peut rien faire contre ça. J'ai un seul regret, c'est qu'il n'ait pas pu profiter de sa jeunesse comme les autres enfants.

— Je trouve de plus en plus de difficile de vivre avec Arthur, même si j'aime sa pauvre femme et ses enfants. Imagines-tu quel genre de vie ils vont avoir ici ? Eugénie fait de son mieux, mais Arthur n'est jamais content. Je l'entends souvent pleurer, la pauvre…

— Moi aussi, je l'entends. Je pense que même toi et moi, nous tapons sur les nerfs d'Arthur. À mon avis, il était trop jeune pour se retrouver avec autant de responsabilités.

— Son orgueil va le tuer ou le rendre fou, Basile ! Arthur a tellement changé que je ne le reconnais plus.

— Tu as raison, mais on ne peut rien faire.

— Les papiers n'ont toujours pas été signés chez le notaire. La terre t'appartient encore, même si tu as promis à Arthur de la lui donner.

— Tu sais autant que moi qu'il m'est impossible de changer d'idée, commenta Basile. Charles Lemaire a investi de l'argent pour installer ici notre fils et Eugénie. Il a donné à Arthur un taureau et deux génisses – qui, ensuite, ont eu plusieurs veaux. Ce serait comme déshériter notre aîné, en plus de lui voler son bien.

— Tu pourrais vendre la terre et lui donner une partie de l'argent ?

— Non ! Ce serait malhonnête, après toutes les promesses que je lui ai faites au fil des ans pour l'encourager. Je lui ai transmis mon rêve, alors il ne reste plus qu'à prier pour que les choses s'arrangent pour Arthur et sa famille.

— Souhaitons que ça arrive! répliqua Olympe.

— Tu es sincère quand tu dis ça?

— Arthur va hériter de la terre, c'est certain, mais il devra nous loger et nous nourrir jusqu'à notre mort! On est encore chez nous, à ce que je sache! répondit Olympe, en colère.

— Ça ne donne rien de se choquer, ma femme.

La situation n'évolua guère. Eugénie tomba encore enceinte, Arthur, qui avait semblé plus calme depuis quelque temps, reprit ses mauvaises habitudes. La santé de Basile ne s'améliorait pas; il était désormais incapable d'aider Arthur dans les travaux de la ferme.

Un jour, Olympe hérita d'une de ses tantes une maison dans le village et un pécule suffisant pour leur permettre, à elle et Basile, de vivre décemment. Cela tomba à pic, car Olympe ne supportait plus la manière dont Arthur traitait Eugénie et ses enfants.

Émile avait désormais huit ans et travaillait aussi fort qu'un homme mature. Il n'allait pratiquement jamais à l'école du rang parce que son père avait besoin de son aide. Eugénie essayait de l'instruire après sa journée de travail, mais Émile était épuisé la majorité du temps. Après le souper, il avait peine à garder les yeux ouverts.

— Arthur, je trouve qu'Émile travaille trop fort pour son âge, déclara Eugénie. Et ce qui me dérange aussi, c'est qu'il ne va presque plus à l'école. Si tu continues à le faire travailler autant, il sera illettré.

— Il sera cultivateur, tout comme moi et mon père. Pourvu qu'il sache compter un peu et signer son nom, c'est le principal. L'école, c'est une perte de temps quand il y a autant d'ouvrage à faire qu'ici. À moins que tu veuilles le remplacer?...

Exaspérée par l'esprit obtus de son mari, Eugénie répliqua:

— J'ai déjà bien assez de travail: je tiens la maison; prépare les repas; m'occupe des enfants, du lavage et de la basse-cour; plume les poules et les dindes; et je ne sais quoi encore. C'est bien regrettable que le projet de loi déposé par le Dr Grosbois – obligeant les parents, sous peine d'amende, à envoyer à l'école leurs enfants âgés de six à quatorze ans – soit mort au feuilleton parce que tu n'aurais pas eu le choix de faire instruire notre marmaille.

— Heureusement que ça n'a pas passé. Sinon, ça aurait fait disparaître tous les petits fermiers comme moi. Aimé va à l'école, mais ce sera pour apprendre le minimum, lui aussi.

— Aimé a six ans, Ernestine, cinq ans, et Georgina, trois ans. Il y a deux ans d'écart entre elles parce que j'ai fait une fausse couche. Je suis toujours enceinte. J'ai l'impression d'être une bête de somme...

— T'en parleras au curé. Il va te répondre qu'il ne faut pas empêcher la famille. Et moi, j'écoute toujours le curé.

— T'es juste un gros cochon, Arthur! Je suis enceinte de six mois et tu n'arrêtes pas pour autant de me sauter dessus! Dans ces conditions, impossible de croire que tu fais l'amour avec moi seulement pour procréer. Tous les deux jours, bon an mal an, tu veux forniquer. Pourtant, tu sais fort bien que je ne retire aucun plaisir de nos relations.

— Je le sais ben trop! grommela Arthur. Après m'avoir mis le grappin dessus, ça ne te tentait déjà plus.

— J'en ai assez de vous entendre vous chamailler tout le temps! cria Olympe. Je n'en peux plus! Je ne te tiens pas responsable de la situation, Eugénie, car je vois très bien ce qui se passe ici. Basile et moi, nous allons déménager dans la petite maison que ma tante m'a léguée.

— Faites donc ça, papa et toi, si vous n'avez plus envie de vivre ici. J'espère que mes petites ne vous empêchent pas de dormir la nuit, tous les deux, avec leurs pleurs? Penses-tu que c'était facile de vivre avec Adrien le casseau qui râlait tout le temps?

Olympe se leva d'un bond et gifla son fils de toutes ses forces. Ensuite, elle alla se réfugier dans sa chambre. Peu de temps après, Basile et elle s'installèrent au village. Ils ne revinrent jamais à la ferme.

La vie était devenue plus difficile pour Eugénie après le départ de ses belles-sœurs et de ses beaux-parents. Dorénavant, il n'y avait plus personne pour freiner Arthur dans sa démesure. Olympe n'avait pas pardonné à son fils Arthur son comportement égoïste lors de l'agonie d'Adrien. Émile se doutait que sa grand-mère était fâchée contre Arthur, mais il ignorait pourquoi. Les seuls moments où le garçon voyait ses grands-parents, c'était quand son père l'envoyait au village pour acheter des fournitures pour la ferme, ou encore, il les apercevait à l'église. Émile ne s'attardait jamais chez Olympe et Basile tant il craignait la violence de son père. Ce dernier le frappait rarement – de temps en temps, il lui donnait une solide taloche derrière la tête qui le sonnait littéralement. Arthur était fort, alors Eugénie lui avait interdit de battre les enfants. Elle l'avait menacé d'aller vivre chez ses parents à Sainte-Brigide avec ses petits s'il ne respectait pas sa demande.

Émile et Aimé travaillaient comme des forcenés. Ils ne se plaignaient jamais ; après tout, leur père s'échinait encore plus qu'eux. Émile avait dix ans, et son frère, huit ans. Pour eux, c'était la norme de bûcher si fort, car ils ne connaissaient pas autre chose. Les deux garçons étaient pratiquement coupés du monde. Pour Aimé, c'était un peu mieux parce qu'il allait à l'école de temps en temps.

— La maîtresse m'a demandé pourquoi je ne venais pas plus souvent à l'école, fit Aimé. Après que je lui ai expliqué que mon père avait besoin de moi sur la ferme, elle m'a répondu que papa perpétuait l'ignorance et que c'était bien regrettable parce que je suis un enfant doué.

— Elle fait ce compliment à tout le monde, répondit Émile à son frère.

— N'empêche que c'est pas mal moins dur d'aller à l'école que de travailler sur la terre avec papa! rétorqua Aimé.

— Avec ses sornettes, elle va finir par t'enfler la tête, la maudite maîtresse!

— Je connais mon alphabet au complet, tu sauras, Émile Robichaud. Et je sais compter jusqu'à cent. Tu ne peux pas en dire autant, n'est-ce pas?

— Ça ne sert à rien à un fermier d'être instruit! Je ne peux pas compter jusqu'à cent, mais quand il manque une vache avant de faire le train, je m'en aperçois rapidement. En attendant, ramasse tes gants et la masse parce qu'on a de la clôture à relever. Je m'occupe du marteau, des pinces, des crampes. À bien y penser, on devrait peut-être aussi apporter des piquets de cèdre. Dans ce cas-là, on va avoir besoin de la voiture.

— Qu'est-ce que papa fait, présentement? demanda Aimé.

— Il ramasse de la roche, comme d'habitude. Je me demande si c'est parce qu'il veut fermer le muret autour de la prairie. Celui-ci mesure trois pieds de hauteur. Notre père va finir par se crever à force de déplacer des roches aussi grosses. Il faudrait être deux pour soulever les plus lourdes.

— Je crois qu'il est en train de virer fou avec ses roches !

— S'il t'entendait, je ne donnerais pas cher de ta peau, Aimé !

— Maman pense la même chose que moi, répliqua Aimé.

— D'après moi, notre père se montrerait moins indulgent avec toi qu'avec maman. Mais assez de niaisage ! On a de l'ouvrage à faire. J'aimerais pas ça que papa nous prenne à perdre notre temps…

Émile attela un cheval pendant qu'Aimé déposait les outils et les piquets de cèdre dans la voiture. Puis, ils prirent la direction de la prairie où la clôture avait besoin d'être redressée. Ce travail exigeait de la force. Aimé n'était pas assez costaud pour fournir une grande aide, mais Émile avait développé de l'habileté en travaillant avec son père. Il plantait les piquets solidement pendant qu'Aimé les tenait, puis il tirait sur le barbelé de toutes ses forces. Aimé plantait la crampe et ramassait les vieilles crampes – qui serviraient à nouveau. Aucun gaspillage n'était toléré par Arthur, sous peine de punitions qui se traduisaient par l'attribution de tâches supplémentaires.

À la ferme des Robichaud, tout le monde travaillait dur, mais Eugénie ne suffisait plus à la tâche à cause de ses grossesses trop rapprochées. Heureusement, son père avait pitié d'elle ; régulièrement, il envoyait une femme pour l'aider à reprendre le dessus. Marie-Reine le vilipendait s'il tardait à délier les cordons de sa bourse.

En 1908, Eugénie avait déjà deux garçons et quatre filles, et elle était encore enceinte. À bout de souffle, elle avait maigri au point d'être décharnée. Malgré tout, elle n'avait rien perdu de sa beauté diaphane. Ses mains étaient gercées à cause de la lessive et du récurage des planchers, mais elle portait des gants pour aller au village. La mère d'Eugénie lui offrait chaque année un ensemble coordonné comprenant robe, chaussures, chapeau et gants. Quelquefois, elle ajoutait des bas, des sous-vêtements et un manteau. La jeune femme n'avait qu'à demander et elle recevait, mais elle ne voulait pas importuner ses parents plus que nécessaire. C'est donc Marie-Reine qui prenait l'initiative de vêtir sa fille, ainsi que ses petites-filles – qu'elle adorait. Eugénie avait déjà des cheveux blancs et des pattes d'oie au coin des yeux. Le dimanche, quand elle se présentait à l'église, elle avait toujours cette allure fière qui la distinguait de la majorité des femmes.

— Il ne dépense jamais d'argent pour toi, ma fille ? s'informa Marie-Reine. Il y a une limite à être près de ses sous…

— Nous n'avons pas d'argent pour le superflu. Je fais des miracles pour habiller les garçons. Quant aux filles, les vêtements se transmettent de l'une à l'autre. Je te remercie pour les beaux cadeaux que tu leur fais.

— Tu n'as qu'une personne à blâmer pour tes malheurs, ma fille, et c'est toi.

— Je le sais, maman…, déclara Eugénie, au bord des larmes.

— Tout finira par s'arranger, si tu as la foi.

— Il n'est pas question de foi, maman, mais de destin. Le mien est tracé depuis longtemps. Est-ce que c'est possible qu'on vive notre purgatoire ou notre enfer sur terre, selon ce qu'on mérite, et qu'on en soit libéré à l'heure de notre mort ? Ne me dis pas que c'est une hérésie, maman. Le fait de penser une telle chose me fait du bien. J'y vois une raison d'espérer…

— Ma pauvre fille ! Il faut que tu sois très déçue de la vie pour penser ainsi. Pour ma part, je ne veux pas entrevoir ma destinée de cette façon. Tout n'est pas toujours rose pour moi non plus, mais ce ne sont que des broutilles. Je suis boule-versée par tes confidences. Je vais prier pour toi afin que tu retrouves la sérénité.

— Si tu veux, maman. Mais ne te torture pas à cause de mes propos ; une situation difficile paraît souvent pire à la personne qui écoute qu'à celle qui la subit. Il y a quand même de beaux moments dans mon existence. Ils me viennent des enfants, et parfois même d'Arthur quand il est satisfait des résultats de son labeur.

— D'après la façon dont tu parles de ces beaux moments, je comprends qu'ils ne foisonnent pas du côté de ton mari...

— On ne peut pas toutes épouser un Charles Lemaire, maman! Tu es très chanceuse de vivre avec un homme comme mon père. Mais combien de femmes peuvent se vanter d'avoir un si bon mari?

— En plus d'être ma fille, tu es devenue mon amie. J'espère que nous nous parlerons toujours aussi franchement qu'aujourd'hui.

— Je ne veux pas t'inquiéter avec mes tracas, maman.

— À qui d'autre peux-tu te confier sinon à ta mère, toi qui vis comme une recluse?

— Ça me fait du bien de m'épancher auprès de quelqu'un de confiance. Mais il ne faut jamais que je blâme directement Arthur. Je ne crois pas qu'il soit capable d'accepter la critique...

— Le dialogue n'existe pas entre vous? s'étonna Marie-Reine.

— C'est plus un combat perpétuel entre nous deux, car Arthur est toujours sur la défensive. Mais j'ai trouvé un truc qui fonctionne à tous les coups. Je lui dis: « Après avoir réfléchi longuement à ton idée de l'autre jour, j'en suis venue à la conclusion que c'est la meilleure solution. » Il me demande de quelle idée je parle; après, je lui sors mon boniment. Comme il n'a pas de mémoire, j'en profite pour lui passer un sapin. Arthur se rallie rapidement : «Tu vois ! Je savais que c'était une bonne idée. »

— Et ça fonctionne ? s'esclaffa sa mère.

— Oui, mais je veille à ne rien proposer d'extravagant. Sinon, je serais vite démasquée !

— Je vais essayer ta méthode avec ton père quand il fait la sourde oreille, décida Marie-Reine. Peut-être que je gagnerai, moi aussi ? Maintenant, je dois te laisser, car je vois que ton mari s'impatiente. Je vais aller rejoindre Charles, qui donne l'impression d'être sur le point de se lancer en politique. Prends soin de toi, ma chérie ! termina-t-elle en donnant la bise à sa fille.

Eugénie se dirigea vers Arthur et ses enfants. Ernestine gardait les deux plus jeunes à la maison. Eugénie avait le ventre rond d'une femme qui accoucherait sous peu. Émile l'aida à monter dans le *buggy*. Ensuite, il alla s'asseoir derrière avec Aimé et Noëlla. Arthur fit avancer le cheval avant que tout le monde soit parfaitement installé. Émile en déduisit que son père n'était pas de bonne humeur.

— Vous aviez donc bien de la jasette, ta mère et toi, Eugénie ? Imagine-toi donc que ton père ne m'a même pas adressé la parole, trop occupé qu'il était à jacasser avec tous les bourgeois du coin – y compris le maire du village.

— Je vois si peu souvent ma mère que j'en ai profité pour la remercier pour tous les beaux vêtements qu'elle nous a donnés, aux filles et à moi.

— J'ai l'air de quoi, dans cette affaire-là ? D'un homme qui n'est pas capable d'habiller sa famille ?

— On ne peut pas se permettre de refuser les cadeaux de ma mère, répliqua Eugénie, contrariée par la mauvaise foi de son mari. De toute façon, on n'a pas les moyens de s'offrir de beaux vêtements.

— Les hommes de la maison ont l'air d'une *gang* de guenilloux à côté de vous autres, de vraies princesses…

— Si tu veux, la prochaine fois, je peux demander à ma mère d'acheter des vêtements neufs pour vous, plutôt qu'à moi et aux filles.

— Que je ne te voie jamais demander à ta mère de nous habiller parce que je ne le prendrais pas, maudite misère !

Eugénie jugea préférable de se taire plutôt que d'argumenter avec son mari. Elle espérait qu'après le dîner, il reprendrait ses esprits ; dans le cas contraire, il y aurait une autre journée sans joie dans la famille d'Arthur Robichaud. Elle était habituée, car son mari était de plus en plus aigri par la vie. Il se levait presque toujours du mauvais pied et quand, par miracle, il était de bonne humeur, la moindre petite contrariété pouvait tout faire chambouler. Arthur était toujours tendu comme une corde de violon.

Chapitre 8

L'accouchement d'Eugénie s'annonçait difficile. Mme Trépanier, la sage-femme qui l'accompagnait normalement, demanda à Arthur de faire appel au médecin. Le bébé se présentait par le siège ; la sage-femme craignait que le cordon ombilical s'entortille autour du cou du bébé et l'étouffe. Émile fut chargé par son père d'aller au village et de ramener le médecin coûte que coûte. Il sella le cheval et partit au galop. Ce n'était guère le moment de ménager le cheval ; Émile entra à bride abattue dans le village. Par chance, le médecin était en consultation à son cabinet.

— Docteur, il faut que vous veniez vite chez nous parce ma mère est en train d'accoucher ! Mme Trépanier pense qu'il y a un problème.

— Va atteler mon cheval après le *buggy* pendant que je prépare ma trousse. Et fais ça vite parce que Mme Trépanier n'a pas l'habitude de requérir mes services pour rien.

Le médecin rassembla son matériel, auquel il décida de joindre des forceps. Si la sage-femme faisait appel à lui, c'était que l'enfant se présentait par le siège et qu'elle ne réussissait pas à le tourner dans l'utérus. *Une femme si petite, pour ne pas dire malingre,* pensa-t-il, *c'est presque un miracle qu'elle ait déjà mis au monde six enfants, tous en bonne santé.* D'après lui, Eugénie Robichaud ne pesait même pas cent livres. *C'est un exploit,* songea le vieux médecin de campagne qui en avait vu d'autres durant sa longue carrière. Pendant le trajet, il mena son cheval au galop. À cause de ses douleurs aux reins, il grimaçait chaque fois qu'il passait sur une ornière qu'il n'avait pu éviter. Enfin, il parvint à la ferme des Robichaud. Le médecin se fit la réflexion qu'il était trop vieux pour courir la campagne à toute heure du jour et de la nuit. Il appréhendait la pleine lune qui approchait, car il y avait toujours alors une recrudescence d'accouchements, mais aussi de poussées de fièvre et de décès. Même les astres lui donnaient du tracas…

Le médecin entra dans la chambre. Eugénie était étendue sur le lit, livide et en sueur. La sage-femme semblait paniquée.

— Alors, madame Trépanier, quel est votre diagnostic? s'enquit-il. Depuis combien de temps le travail est-il commencé?

— C'est un siège, docteur, donc je crains que le cordon étouffe le bébé. Les eaux ont crevé vers cinq heures, ce matin.

— Pourquoi avez-vous tant tardé à me faire venir?

— Tant qu'Eugénie n'était pas suffisamment dilatée, je ne pouvais pas être sûre de ce qui se passait. J'ai palpé son ventre; le bébé aurait aussi bien pu se retourner et je n'aurais pas eu besoin de vous déranger. Eugénie ne se plaint jamais. Comment savoir que…

— D'accord! l'interrompit le médecin. Je vais vérifier tout ça. Assurez-vous que j'aie suffisamment d'eau chaude et de pansements.

Le médecin sortit son stéthoscope de sa mallette et le posa sur le ventre d'Eugénie pour écouter les battements de cœur du bébé. Ensuite, il plaça le stéthoscope entre les seins de la mère et écouta le cœur de la future maman. Celui-ci battait trop vite, tandis que celui du bébé était faible – comme s'il était épuisé par l'effort. Le médecin pensa aux diverses options qui s'offraient à lui. Il devait tourner le bébé. Mais si la sage-femme pensait que le cordon étranglait le bébé, c'est qu'elle avait senti une résistance.

— De quelle façon avez-vous essayé de le tourner, madame Trépanier? demanda-t-il.

— En poussant sur les fesses et en tentant de le faire dévier vers la droite, où un pied exerçait une pression sur le ventre d'Eugénie.

— Voyant que ça ne fonctionnait pas, avez-vous essayé de le tourner de l'autre côté?

— Oui, mais il y avait une plus forte résistance.

— Je vois! Dans ce cas, nous avons deux possibilités. Tout d'abord, je pourrais faire une épisiotomie, mais couper le périnée ne garantit pas qu'on pourra sortir le bébé par la voie vaginale. L'autre option, c'est une technique dont j'ai pris connaissance dans une revue médicale. Cela s'appelle une césarienne, mais je n'en ai jamais pratiqué.

— C'est la première fois que j'entends parler de ça, docteur, fit la sage-femme.

— Cette nouvelle technique réduit considérablement le risque de décès. Cela consiste à inciser le ventre verticalement entre le nombril et le pubis, ce qui donne accès à l'utérus. Ensuite, on sort l'utérus et on l'ouvre pour extraire le bébé. On replace l'utérus et on recoud, mais le risque d'infection existe. Il faudra désinfecter le scalpel et nos mains, ainsi que l'aiguille et le fil.

— Ça m'apparaît délicat, comme intervention...

— Je suis d'accord avec vous, madame Trépanier. Mais vous, madame Robichaud, qu'en pensez-vous?

— Je veux ce qui est le moins dangereux pour mon bébé.

— Avez-vous de l'alcool ici? Dans ma mallette, je n'en ai pas suffisamment.

— Où est mon mari? s'informa Eugénie.

— Il est aux champs, répondit la sage-femme.

— L'alcool à friction ferait-il l'affaire? questionna Eugénie.

— Tout à fait, madame!

— Il y en a une bouteille dans le haut de l'armoire. Je me sers de cet alcool pour masser les jambes d'Arthur quand elles sont enflées. La bouteille est neuve.

— Pour procéder à la césarienne, il me faut l'autorisation de votre mari, déclara le médecin.

— Madame Trépanier, dites à une de mes filles d'aller chercher Arthur, s'il vous plaît. Précisez que c'est urgent…

Le médecin se préparait avec une certaine anxiété. Il ne voulait surtout pas rater son coup. La présence de la sage-femme le rassurait parce qu'elle en avait vu d'autres, elle aussi. Tout était prêt. Il ne manquait plus que l'accord d'Arthur.

Ernestine revint à bout de souffle.

— Papa a dit qu'il vous donnait la permission et de faire pour le mieux. Il viendra aussitôt qu'il aurait fini son rang.

— Tu es sûre de tout ça, ma fille ? s'enquit le médecin, éberlué par le manque d'intérêt d'Arthur Robichaud.

— Oui, j'en suis certaine.

— Eh bien, procédons, madame Trépanier ! Vous épongerez le sang pour que je voie clairement ce que je fais.

Le médecin versa un peu d'éther sur un masque placé sur le nez d'Eugénie, puis il incisa d'une main ferme le ventre de la parturiente. L'utérus apparut aussitôt. Le médecin sortit délicatement l'organe. Après avoir étudié la position du bébé, il incisa à nouveau. Il sortit le bébé, lia le cordon et le coupa. Enfin, il confia le nouveau-né à Mme Trépanier. Il se dépêcha de recoudre l'utérus et le ventre d'Eugénie. Le médecin était à la fois soulagé et satisfait de son travail. Il se lava les mains et but une bonne rasade de l'alcool qu'il traînait dans sa trousse.

Eugénie revint à elle, un peu confuse et nauséeuse. Elle avait donné naissance à un beau garçon en santé. Le médecin pesa le bébé sur sa petite balance. Il avait toujours l'impression de jouer à la cigogne quand il tenait cette balance à bout de bras. Pendant qu'il mesurait le bébé, le père surgit dans la chambre.

— Enfin, un autre garçon! Je commençais à désespérer après quatre filles, déclara Arthur avec le sourire, mais sans un regard pour Eugénie.

— Votre femme ne l'a pas eu facile, monsieur Robichaud, confia le médecin.

Ayant perçu un ton de reproche dans la voix de son interlocuteur, Arthur répliqua:

— Un accouchement, ce n'est pas une partie de plaisir. Dans la Bible, il est écrit: «Tu accoucheras dans la douleur depuis Adam et Ève.» Ce n'est pas moi qui ai inventé ça…

— On aurait pu perdre la mère et le bébé, si je n'avais pas pratiqué une césarienne, technique que je n'avais jamais expérimentée auparavant. J'ai dû inciser et sortir le bébé autrement que par les voies naturelles. Il faudra des soins particuliers à votre femme, et il n'est pas question qu'elle sorte de ce lit avant que je l'y autorise. Idéalement, il faudrait qu'on l'amène à l'hôpital ou chez ses parents, et que quelqu'un prenne soin d'elle.

— Comment on va s'arranger ici pour les repas, le ménage et l'ordinaire ? lança Arthur sur un ton colérique. Ça ne marche pas cette affaire-là !

— Vous allez devoir vous débrouiller, mon cher ! J'ai sauvé votre femme et votre enfant, alors n'allez pas tout gâcher en obligeant votre épouse à reprendre immédiatement ses tâches, sans quoi je vous tiendrai responsable de tout malheur qui pourrait lui arriver. En retournant à mon cabinet, j'aviserai Charles Lemaire de la situation. C'est lui qui décidera de la suite des choses.

— Un instant, docteur : je suis le mari et le père, et j'ai pleine autorité sur ma famille ! cria Arthur, de plus en plus furieux.

— Je ne vous fais pas confiance. Votre comportement n'est pas celui d'un homme responsable ; vous avez préféré finir votre rang de labour au lieu de vous précipiter au chevet de votre femme. Je fournirai une civière à M. Lemaire pour le transport de sa fille jusque chez lui ou à l'hôpital, selon ce qu'il jugera à propos. N'oubliez pas que je suis juge de paix et que j'ai toute autorité sur mes patients. C'est mon devoir d'intervenir, si j'ai le moindre doute qu'ils ne seront pas traités convenablement.

— Ne montez pas sur vos grands chevaux, docteur ! Vous ne pensez pas que de séparer Eugénie de ses enfants n'est peut-être pas l'idéal ?

— Une semaine ou deux loin de son foyer lui fera le plus grand bien, si vous voulez mon avis. Vous aurez peut-être plus de considération pour votre épouse à son retour à la maison.

Ensuite, le médecin donna ses directives à Mme Trépanier quant aux changements de pansements et à la désinfection de la plaie. Il prépara sa facture et la remit à Arthur – qui, même s'il la trouva salée, resta silencieux. Avant de quitter la maison, le médecin répéta à Arthur qu'il préviendrait le père d'Eugénie de la situation et qu'il lui ferait part de ses recommandations.

Arthur détestait se faire dicter sa conduite. Plus tard, Charles Lemaire arriva avec deux de ses employés et la civière fournie par le médecin. Arthur fut mis devant le fait accompli, malgré tout, son beau-père le traita avec respect. Mais Arthur pressentait que sa relation avec Charles Lemaire ne serait plus la même. Il n'avait pas osé protester, car le gros bon sens devait prévaloir. Il était à court d'arguments et refusait de s'enliser davantage. Il avait toujours en tête les reproches du médecin, et il ne voulait pas vivre un épisode du même genre avec son beau-père. Celui-ci se contenta de lui dire qu'il ramènerait Eugénie quand elle serait complètement guérie.

Le dimanche suivant, Arthur décida d'aller visiter Eugénie avec toute la famille. Il espérait que le fait de voir les enfants attendrirait sa femme et l'inciterait à revenir plus rapidement à la maison. Ils s'ennuyaient loin de leur mère. Dès le premier jour, Arthur avait mis les choses au clair avec ses filles. Elles avaient voulu rouspéter, mais leur père avait coupé court à leurs récriminations.

— Tous ceux qui mangent doivent travailler; si vous ne faites rien, vous ne mangerez pas! Est-ce que c'est bien compris? Tout le monde est capable de besogner ici, du plus vieux à la plus jeune. Il n'y aura aucun passe-droit.

— Oui, mais…, était intervenue Ernestine.

— J'ai dit qu'il n'y aurait aucun passe-droit! Les plus vieilles montreront aux plus jeunes. Je veux que la maison soit impeccable en tout temps. Et vous ne devez pas négliger vos tâches à l'extérieur, comme le poulailler et la basse-cour.

Les quatre filles avaient baissé la tête pour éviter les foudres de leur père. De leur côté, Émile et Aimé connaissaient leur emploi du temps, qui était déjà très chargé. La vie n'était jamais facile pour personne chez les Robichaud, et cela ne ferait qu'empirer durant l'absence de leur mère. L'austérité était la norme. Heureusement, grâce aux cadeaux des grands-parents Lemaire, tous les enfants étaient décemment vêtus, incluant Émile et Aimé malgré l'interdit de leur père concernant les cadeaux des Lemaire. Sur ce plan, seul Arthur faisait bande à part. Le dimanche, à la messe, il portait toujours

CHRONIQUES D'UNE P'TITE VILLE

son habit de noces. Le reste du temps, il avait sur le dos une salopette de travail toute rapiécée et usée jusqu'à la corde. Les salopettes d'Émile et d'Aimé n'étaient guère en meilleur état, mais ils ne se plaignaient pas, car leur père donnait le ton. Les hommes de la famille ressemblaient à de pauvres hères venant d'une autre époque.

Finalement, Eugénie réintégra le domicile familial après trois semaines d'absence. Ses enfants furent très heureux de son retour.

Pour son quatorzième anniversaire, le 26 février 1910, Émile reçut de Charles Lemaire des vêtements de travail neufs, des bottines de feutre, des bottes en caoutchouc, des gants et un manteau. Il ne se rappelait pas d'avoir eu une aussi fière allure que cette journée-là. Sa mère avait préparé un gâteau pour souligner l'événement. Émile avait passé la journée à bûcher avec son père et son frère. La journée était glaciale et venteuse; n'importe quel homme serait resté sagement à la maison, les pieds sur la bavette du poêle. Mais Arthur en avait décidé autrement. Il avait attelé la jument grise et chaussé ses raquettes. Ses fils l'avaient suivi. Tous trois étaient montés dans le bois, la hache et le godendard sur l'épaule. Eugénie leur avait préparé une collation, car elle savait qu'ils ne reviendraient qu'à la noirceur.

La journée s'était déroulée sans incident, malgré le vent qui soufflait. Sur le chemin du retour, les doigts d'Aimé étaient gelés, mais il n'en avait rien dit. Il craignait davantage les sarcasmes de son père que la perte d'un doigt.

— Montre-moi tes doigts, Aimé ! ordonna Eugénie.

— Ce n'est rien, maman, juste une petite engelure.

— Ça ressemble plus à une onglée : tes ongles noircissent à la base.

Elle se tourna vers son mari :

— Est-ce que c'était vraiment indispensable d'aller dans le bois aujourd'hui ? Avec ce vent à écorner les bœufs, c'était dangereux qu'un arbre vous tombe dessus. Et regarde les doigts d'Aimé !

— On n'est pas des femmelettes dans la famille. L'as-tu entendu se plaindre ?

— Je ne veux pas que nous nous disputions le jour de la fête d'Émile. J'ai préparé un beau gâteau. Mais je n'ai pas de compliments à te faire, Arthur, concernant ton jugement. Tu peux mettre ta vie en péril, si tu veux, mais pas celle de mes enfants. On en reparlera…

— Ce sont aussi mes enfants. Et en tant que chef de famille, j'ai pleine autorité sur eux. Il n'y a rien à redire là-dessus !

Émile n'était pas grand pour son âge : à quatorze ans, il mesurait cinq pieds quatre pouces. Toutefois, ses muscles noueux cachaient une force hors du commun et sa mine renfrognée annonçait qu'il était préférable de ne pas se frotter à lui. Même les adultes du village le craignaient depuis qu'il avait maîtrisé – avec une simple prise de tête et un coup de poing dans le front – un colosse traînant une réputation de dur à cuire. Il ne s'était pas acharné sur le type une fois celui-ci hors de combat ; il avait repris ses occupations comme si c'était la chose la plus naturelle du monde. Émile ne parlait pas beaucoup. Son problème de langage provenait du fait qu'il ne fréquentait personne d'autre que sa famille et qu'il n'échangeait qu'à demi-mot avec ses proches. Comme tous les illettrés, le vocabulaire d'Émile était limité. En dépit de cette lacune, il suscitait l'intérêt des jeunes femmes grâce à sa force et son air frondeur.

Récemment, Émile avait commencé à traverser les lignes américaines avec un sac à dos rempli de bouteilles de rye pour se faire de l'argent, car sur ce plan-là, il ne devait rien attendre de son père.

Au début, il opérait en secret. Mais un jour, son père l'interrogea :

— Où passes-tu tes nuits quand tu pars sans rien dire à personne ?

— J'ai besoin d'argent ; tu ne m'as jamais payé ! J'ai donc trouvé une façon d'en faire…

— Comment? J'espère que tu ne t'es pas mis à voler?

— Je fais de la contrebande d'alcool aux États. C'est très payant.

— Et qu'est-ce qui va arriver si tu te fais prendre? Je n'ai pas assez d'argent pour te sortir de prison.

— Je ne t'ai rien demandé. Et je ne me ferai pas arrêter parce que j'emprunte un passage à chevreuils dans le bois.

— Je t'interdis de faire de la contrebande.

— Je vais continuer pareil! répliqua Émile.

— Dans ce cas, tu te trouveras une autre place où rester.

— Rien de plus facile! Mais je me demande qui va faire mon ouvrage, si je pars? Tu ne peux pas en demander plus à Aimé; il est déjà au bout du rouleau. À partir de maintenant, c'est moi qui ai le gros bout du bâton! Tu acceptes ma combine ou je crisse mon camp, le père!

Aucun de ses enfants n'appelait Arthur «le père». Celui-ci trouvait que cette appellation convenait aux p'tits vieux comme Basile, son paternel. Il leva la main pour frapper Émile, mais ce dernier se mit en position de combat. Insulté par la réaction de son fils, Arthur s'élança vers lui, mais Émile immobilisa son bras avec une telle force qu'Arthur en resta ébahi. Il avait créé un monstre. Son garçon, qui n'avait que quatorze ans, était plus fort que lui-même ne l'avait jamais été de toute sa vie. Arthur ressentait une certaine forme de fierté, mélangée à la peur. Il se demandait comment réagir face à cette rébellion sans perdre son autorité devant les siens. Émile avait raison en affirmant qu'il détenait le gros bout du bâton, maintenant. Arthur avait besoin de lui à la ferme.

— Tu sais bien que je n'ai pas d'argent, Émile. Une seule mauvaise récolte, et les quelques piastres que j'ai s'envolent! C'est la triste réalité. Je me demande si je n'aurais pas dû planter des pommiers dans les nouvelles prairies comme l'a fait ton grand-père Lemaire, au lieu de m'arracher le cœur à essayer de faire pousser du blé et de l'avoine.

— Il est un peu tard pour y penser, tu ne trouves pas?

— T'as raison. Mais j'ai trop travaillé sur cette terre pour recommencer et, de toute façon, j'en ai pas les moyens. Sais-tu que ça prend cinq ans à un pommier pour produire à son plein rendement? C'est trop long!

— Pourquoi tu ne demandes pas au grand-père Lemaire de t'aider?

— Il m'en veut, alors il refuserait de m'aider. Il pense que j'ai fait trop de misères à sa fille. Il n'a pas tort. Je n'aurais jamais dû épouser ta mère parce qu'on ne vient pas du même milieu. La vie, ici, est trop dure pour elle.

— Quand on s'aime, papa, c'est tout ce qui compte. Le reste s'arrange tout seul.

— T'es peut-être plus fort que moi, maintenant, mais t'as encore beaucoup de choses à apprendre. J'espère que tu te montreras plus intelligent que moi et que tu marieras quelqu'un de ton rang. C'est le meilleur conseil que je peux te donner. Et si tu veux pas renoncer à la contrebande d'alcool, évite de te faire pincer. Si tu fais de la prison, tu seras marqué pour la vie…

— Je suis bien trop futé pour ça !

Émile continua à faire passer de l'alcool aux États-Unis, mais sans négliger les travaux de la ferme. Un jour, toutefois, son programme fut chamboulé. Au mois d'août 1910, Arthur fut terrassé par un infarctus ; il mourut dans un champ en tentant de déloger seul une grosse roche. Il avait trente-trois ans. Émile et Aimé travaillaient à proximité de leur père. Entendant un cri, ils pensèrent qu'Arthur s'était pincé les doigts, comme cela arrivait de temps à autre pendant la corvée à laquelle il s'employait. Aimé décida d'aller rejoindre son père. Ayant trouvé ce dernier effondré sur le sol, il revint en courant auprès de son frère.

— Émile ! Papa est à terre et il ne bouge pas…

— Il a dû s'écraser les doigts ; ils sont peut-être pris sous la roche. Il va falloir qu'il accepte qu'il vieillit, lui aussi…

— Je pense que c'est plus sérieux que ça, Émile. Viens, on va aller voir !

Quand les deux garçons arrivèrent à côté de leur père, ils se rendirent compte que ce dernier était mort. Il s'était tué à l'ouvrage sur la terre qu'il avait agrandie avec son père.

— Il a eu ce qu'il méritait! lança Émile en crachant par terre.

— Qu'est-ce qu'on va faire, asteure? demanda Aimé.

— On va arrêter d'érocher les nouvelles prairies; on va les laisser en pacage.

— Papa voulait continuer d'enlever les roches, parce qu'il voulait faire des champs de céréales sur ces parcelles.

— Tu vois ce que ç'a donné? Il est mort. Que le diable l'emporte! Il aurait fini par nous faire mourir à l'ouvrage, comme lui.

— Parle pas du diable, Émile! J'ai vraiment peur qu'il vienne rôder autour de la maison.

Eugénie ne pleura pas Arthur, mais elle craignait l'avenir, pour ses enfants et elle. Son père l'aida. Toutefois, ce dernier souhaitait qu'elle vende la terre et s'installe avec sa famille à Sainte-Brigide.

Chapitre 9

Après la mort de son père, Émile n'avait pas beaucoup d'options. Il dut retrousser ses manches et abattre encore plus de besogne que d'habitude. Il pouvait compter sur Aimé, son jeune frère, qui avait vécu le même dur régime que lui sous la férule d'Arthur. Il décida de laisser une prairie, la plus rocheuse, devenir du pacage. Pour arrondir les fins de mois, Émile augmenta la fréquence de ses expéditions nocturnes aux États-Unis. Il fallait manger…

Eugénie n'était pas triste d'avoir perdu si jeune son mari. Arthur s'était révélé tellement détestable durant leur vie commune qu'elle se sentait libérée. Si elle s'était écoutée, elle aurait vendu la terre et aurait déménagé à Sainte-Brigide pour se rapprocher de ses parents. À trente-deux ans, Eugénie représentait un bon parti pour un veuf, ou même un vieux garçon, malgré ses sept enfants. La vente de la ferme lui rapporterait un modeste pécule. En plus, un jour, elle obtiendrait un héritage assez important de ses parents. Eugénie se torturait pour deux raisons; d'abord, elle savait qu'Arthur voulait garder la terre des Robichaud pour Émile – tout comme lui-même l'avait eue de son père –, et aussi parce que son fils aîné s'opposait catégoriquement à la vente.

Le veuvage d'Eugénie se passait plus difficilement qu'elle ne l'aurait cru. Elle avait beau bénéficier du soutien de tous ses enfants, il lui manquait un homme dans son lit. Aussi détestable qu'Arthur avait pu être, il représentait quand même une présence rassurante. De son côté, Émile réfléchissait beaucoup à l'avenir, car il percevait la fébrilité de sa mère. Il ignorait ce qui l'attendait sinon une vie de dur labeur. Le garçon rêvait d'une vie de gangster qui, au volant d'une camionnette, franchissait la frontière en trombe, sous les coups de feu des douaniers, pour livrer une cargaison d'alcool à la mafia italienne de New York ou de Buffalo. Il voulait devenir suffisamment riche pour garder la terre des Robichaud. Il se demandait si Aimé aurait l'audace de faire de la contrebande.

D'une manière détournée, il questionna son frère :

— Savais-tu que des gars traversaient de l'alcool aux États ?

— Non. Comment ils font ça ?

— Certains passent par le bois avec des sacs à dos. Ils se déplacent de nuit parce qu'il y a moins de douaniers. J'ai ben envie d'essayer !

— Qu'est-ce que maman va dire, si tu te fais arrêter ?

— J'me ferai pas pogner. J'suis ben trop vite pour ça !

— Ça prend juste une *bad luck* pis un malade qui tire sur toi pour que le malheur arrive !

— Viendrais-tu avec moi ? lança Émile.

— Es-tu malade ? s'écria Aimé, l'air terrorisé. Jamais j'ferai ça ; j'veux pas aller en prison !

— Moi, j'vais le faire parce que j'vais avoir besoin de beaucoup d'argent si j'veux acheter la terre.

— Pourquoi tu penses à ça ?

— T'as pas remarqué le vautour qui tourne autour de maman ?

— Tu parles du commis du magasin général ? Y est fin, cet homme-là !

— T'es peureux, mais t'es pas aveugle ! C'est justement de lui que je parlais. Mais je ne lui fais pas confiance…

Émile savait maintenant qu'Aimé n'aurait jamais le courage de trafiquer. Apparemment, ce dernier n'avait pas remarqué ses absences répétées, la nuit. Le matin, Émile était fatigué, mais Aimé croyait que cela découlait de l'excès de travail à la ferme. Il songea au commis du magasin général qui courtisait Eugénie. Sa mère ne semblait pas indifférente à lui. Ce bel homme, poli et plein d'attentions à son égard, était charmant avec elle. Il paraissait très différent d'Arthur, mais l'était-il réellement ? Émile ne considérait pas l'affaire du même œil qu'Aimé. De toute évidence, cet homme n'avait rien d'un fermier. Si sa mère s'amourachait de lui, elle vendrait la terre et s'installerait au village. Que deviendrait alors la famille ? Les filles seraient contentes ainsi que Georges – qui était trop jeune pour s'opposer aux changements. Mais Aimé et lui, que feraient-ils ? Ils seraient condamnés à travailler pour une maigre pitance comme hommes engagés pour les gros propriétaires terriens.

Émile ne pouvait accepter cela. Son père avait toujours dit que la terre lui reviendrait et que le salut tenait au fait de posséder la terre sur laquelle on vivait. Arthur avait souvent parlé des Canadiens français qui s'étaient exilés aux États-Unis pour travailler dans les usines de textile pour des salaires de misère. Selon lui, certains ne parlaient plus français au bout de quelque temps. Émile baragouinait l'anglais parce que plusieurs royalistes s'étaient établis au Canada. Ils avaient traversé la frontière au moment de la révolution américaine.

Comme Émile l'avait prévu, le commis fit une cour de plus en plus effrénée à sa mère. Le garçon savait qu'Eugénie cèderait dès que son veuvage aurait suffisamment duré pour respecter les convenances.

— J'aimerais connaître tes projets d'avenir, maman. Papa m'a toujours dit que la terre me reviendrait un jour, pourvu que je vous fasse vivre, lui et toi. J'ai l'impression que tu as l'intention de te remarier.

— Émile, je sais que ton père voulait que la terre te revienne. Ce n'est pas ma faute si Arthur est mort si jeune et m'a laissée sans ressources. Ça change bien des choses. Je suis jeune encore, et je ne vois pas comment je vais assurer notre subsistance – à moins de me fier sur mon père. Mais j'ai su par ma mère que ses affaires ne vont pas très bien. Ça pourrait changer, mais j'en doute.

— J'pourrais descendre dans les chantiers. J'gagnerais de l'argent en masse, ce qui me permettrait de nourrir la famille.

— Un jour, tu vas te marier et tu voudras fonder une famille à ton tour. Tu ne voudras pas d'une charge supplémentaire. Et suppose qu'une de tes sœurs ne trouve pas à se marier, que ferais-tu ? Tu es trop jeune pour t'embarquer dans une aventure semblable !

— S'il te plaît, maman, ne prends aucune décision sans m'en parler.

— Je te le promets. Mais ne t'attends pas à des miracles, d'accord ?

— Il y a toujours moyen de s'arranger, si on le veut vraiment, maman.

Émile ne s'était pas trompé quant à ce qui se dessinait à l'horizon. Sa mère épousa le commis du magasin général, qui n'était pas un mauvais diable en fin de compte. En effet, il permit à Émile d'acheter la terre familiale et alla jusqu'à l'endosser puisqu'il était mineur. À quinze ans, Émile devint propriétaire de la ferme. L'argent qu'il avait amassé au chantier et grâce à son trafic y passa entièrement. Aimé s'occupait de la terre, et Émile travaillait pour le chemin de fer – en plus de trafiquer.

Chapitre 10

Lauretta Frégeau était née le 29 mai 1906, un beau jour de printemps. Elle était le premier enfant de Dalma Frégeau et de Laura Leduc. À sa naissance, Dalma avait vingt-six ans et Laura, vingt-deux ans. Les Frégeau étaient originaires de Saint-Sébastien, et les Leduc, de Farnham. Ces fermiers étaient plus prospères que les Robichaud. Dalma et Laura avaient reçu en héritage suffisamment d'argent et de culture pour prétendre à une vie prospère. Ils avaient acquis une jolie ferme dans la région de Frelighsburg.

Comme la plupart des fermiers de la région, ils possédaient une basse-cour et une étable pour les animaux à boucherie – ce qui était moins exigeant qu'une ferme laitière. De plus, sur leur terre, il y avait un verger ainsi qu'un grand jardin, ce qui faisait d'eux davantage des maraîchers – avec travailleurs saisonniers pour le potager et le verger – que des fermiers. Du point de vue du portrait familial des Robichaud, ils ressemblaient davantage aux Lemaire, même s'il y avait de grandes différences entre le style de vie de ces derniers et celui des Frégeau. Leur *credo* était la simplicité, agrémentée d'humilité. Ils ne faisaient pas étalage de leurs connaissances, de leur richesse et de leur culture. Il était prévu que Laura s'occuperait de l'éducation des enfants. L'instruction et les bonnes manières comptaient énormément pour les Frégeau. C'est Laura qui avait choisi le prénom de Lauretta, qui signifiait «petite Laura». Elle espérait que son aînée hériterait de sa joie de vivre, de sa beauté, de sa douceur et de sa force de caractère.

— Nous avons été chanceux d'avoir un si beau bébé, n'est-ce pas, Dalma?

— Notre petite Lauretta n'est pas capricieuse. Elle sourit tout le temps. Et c'est de toi qu'elle tient sa beauté, ma chérie!

— Son bon tempérament vient de toi, mon amour. Je suis tellement heureuse!

— C'est vrai que nous sommes privilégiés. Dieu nous a bénis en nous donnant une petite fille en santé, et la propriété nous donne de bonnes récoltes. Que demander de plus quand on a l'amour, la santé et la richesse? En plus, nos voisins et toute la paroisse nous accordent leur respect. Pour moi, le vrai bonheur, c'est l'harmonie!

— Mon amour, tu as l'âme d'un poète. C'est pour ça que je t'aime tant! lança Laura en se pendant à son cou pour l'embrasser.

— C'est si facile d'être heureux avec toi, ma belle Laura! J'ai très envie de te faire l'amour avant de retourner travailler.

— Garde ton énergie, mon chéri. Ce soir, après avoir pris un bain chaud aux pétales de rose, je serai à toi.

— Je travaillerai avec ardeur, sachant qu'à la fin de la journée, tu m'attendras, dit-il avant de l'embrasser passionnément.

Ils vivaient cet amour idyllique depuis leur mariage, et rien ne laissait présager que cette situation changerait un jour. La vie était belle ; les soucis étaient si bénins qu'ils ne servaient qu'à entretenir la conversation après le souper. Une fois le repas terminé, Laura préparait Lauretta pour la nuit. Elle lui donnait son bain et une dernière tétée tout en lui chantant une berceuse. La petite s'endormait rapidement. Ensuite, Laura se réfugiait dans son lit, où Dalma terminait de lire *The Gazette*. Laura baissait l'intensité de la lampe à huile – le signal pour Dalma que le moment était venu de déposer son journal. Les époux se caressaient et s'enlaçaient tendrement. S'endormir dans les bras l'un de l'autre avec l'âme en paix faisait partie de leur rituel. Jeunes et beaux, ils se donnaient l'un à l'autre très souvent. Leurs relations sexuelles se déroulaient dans le respect et le désir mutuel. Si, par hasard, Laura ne répondait pas à ses caresses, Dalma se contentait de l'embrasser en lui souhaitant bonne nuit. Parfois, ce dernier s'endormait en lisant le journal. Laura lui enlevait ses lunettes, le bordait, l'embrassait doucement. Ensuite, elle se collait contre son mari.

Lauretta avait deux ans quand Laura eut des nausées matinales. Cet indice ne trompait pas : la jeune femme sut immédiatement qu'elle était enceinte. Malgré ces malaises, elle était contente et avait hâte d'apprendre la nouvelle à son époux. Elle était certaine que Dalma se réjouirait à son tour. Toute la journée, Laura chantonna en faisant le ménage de la maison et en jouant avec sa petite fille avant la sieste de l'après-midi. La jeune maman profitait toujours du moment où la petite dormait pour préparer le repas du soir. Il faudrait bientôt qu'elle-même s'accorde des siestes pour se détendre et maximiser ses chances de mener à terme sa grossesse. Elle s'inquiétait parce que quelques-unes de ses amies avaient fait une fausse couche ou un avortement spontané avant la vingtième semaine de grossesse sans trop savoir pourquoi. Elle résolut d'en parler avec son mari.

Le soir, quand Dalma arriva, il remarqua l'humeur très joyeuse de sa femme. Il pensa qu'elle avait probablement reçu une lettre de sa mère, porteuse de bonnes nouvelles.

— Ma chérie, je te trouve particulièrement rayonnante ce soir ! Qu'est-ce qui motive ce beau sourire ?

— Ce matin, j'ai eu la nausée. Je crois que je suis enceinte !

— Tu en es certaine ? demanda Dalma, la mine réjouie.

— À 99 %, je dirais…

— C'est fantastique, ma chérie. Et si je me fie à ton sourire, tu es contente ?

— Oui. Je suis très heureuse, si tu l'es aussi…

Dalma la souleva dans ses bras vigoureux et la fit tournoyer. Il était au comble du bonheur, car il attendait ce moment depuis un certain temps. Lauretta était propre, alors ce serait moins accaparant pour son épouse d'avoir un autre enfant – du moins l'espérait-il. Peut-être que l'aînée donnerait une aide précieuse à la future maman. À trois ans, on pouvait se montrer serviable, pensa-t-il. Dalma se réjouissait à l'idée que sa famille s'agrandirait. Et le fait que le prochain bébé soit un garçon ou une fille importait peu, car il souhaitait que tous ses enfants aient accès à des études supérieures, s'ils le désiraient. Il voulait que sa progéniture s'élève à un niveau supérieur au sien. Dalma était avant-gardiste pour son époque, mais il avait la conviction que tout le monde avait droit à sa chance – même s'il reconnaissait que sur le plan professionnel, ce serait plus ardu pour les femmes.

— Il faut que j'écrive à mes parents pour leur annoncer la nouvelle! s'écria Dalma. Mieux que ça: et si on allait les visiter dimanche? Qu'en dis-tu?

— Il n'est pas trop tôt pour en parler? demanda Laura.

— Tu crois?

— Il y a des signes qui ne trompent pas, dit-elle. Mes seins sont gonflés, tu ne trouves pas? taquina-t-elle son mari en dressant sa poitrine.

— Ce n'est pas ton soutien-gorge qui est en cause? plaisanta-t-il avant de palper la poitrine de Lauretta. Tu devrais détacher ton corsage, pour me faciliter la tâche.

Laura, bonne joueuse, obéit. Elle offrit ses seins nus à son mari. Instinctivement, Laura se colla contre Dalma, qui en profita pour l'embrasser dans le cou. Elle eut un frisson qui descendit le long de son dos et se logea dans son bas-ventre.

— Tu me fais perdre la tête, mon chéri! Toutefois, je crains qu'on doive attendre. Je serai plus réceptive une fois que la petite sera couchée, ce soir.

— Dans ce cas, nous n'avons pas le choix. Mais sache que rien ne pourra m'arrêter, le moment venu. Je suis fou de désir pour toi, mon amour.

— Tu sais qu'avec un autre bébé, ce sera encore plus compliqué? répondit Laura qui ressentait tant de plaisir qu'elle aurait fait l'amour sur-le-champ.

— Ça fait partie des sacrifices qu'il faut envisager, mais n'y pensons pas tout de suite, veux-tu?

— Si tu continues à me caresser les seins, je vais défaillir!

— Ta beauté me chavire, Laura! J'arrêterai tout après avoir embrassé ces fruits si magnifiques.

Dalma déposa un doux baiser sur chacun des seins de sa femme, ce qui fit frémir Laura. Ils savaient que le fait de devoir attendre ne ferait qu'amplifier leur désir. Laura avait le visage congestionné, et Dalma avait une érection. Il lut le journal pendant que Laura s'activait dans la cuisine, donnant la touche finale au souper. Quand tout fut prêt, elle appela son mari et installa la petite dans sa chaise haute. Après avoir fait souper Lauretta, elle laissa celle-ci manger seule sa compote de pommes. La petite adorait les desserts. Laura se servit à son tour et avala son repas avec appétit. Ensuite, elle entreprit de laver la vaisselle. Dalma déposa Lauretta par terre, puis il se mit à l'essuyer.

— Je peux me débrouiller, mon chéri! Joue avec la petite et je m'occuperai du reste.

— J'aime bien essuyer la vaisselle, mais j'aime encore plus la laver. Ça m'assouplit les mains. Je veux qu'elles soient moins rugueuses quand je te caresse.

— Tes mains sont toujours douces, Dalma. Et tu as un agréable caractère, ce dont je me réjouis. Ce ne sont pas tous les hommes qui sont comme toi, tu sais?

— Malheureusement, la vieille mentalité domine encore! Pour certains de mes semblables, c'est dégradant de participer aux tâches ménagères. Quelle pensée ridicule! Je peux comprendre qu'un homme fatigué à cause de sa journée de travail ait le goût de se reposer le soir, mais c'est rarement mon cas, n'est-ce pas?

— Je suis contente que tu aies choisi une exploitation comme la nôtre pour gagner ta vie. C'est beaucoup moins accaparant qu'une ferme laitière.

— Tout à fait ! Je ne voulais pas être esclave de mon travail ; sinon, je serais devenu notaire ou avocat. J'aimerais bien que nos enfants occupent des professions libérales, même si je sais que ce ne sera pas facile pour nos filles.

— Je me demande bien ce que Lauretta choisira, comme travail.

— Les métiers de maîtresse d'école ou d'infirmière sont la chasse gardée des religieuses. J'ai lu dans *The Gazette* qu'un collège classique pour filles ouvrira à Westmount, mais ce sera un établissement privé. Et l'Université Laval acceptera des femmes à la Faculté de droit, même si le barreau n'est pas d'accord. Alors, il faut espérer que lorsque notre fille aura l'âge de travailler, la société aura suffisamment évolué.

— C'est tellement ridicule, cette société dominée par le patriarcat ! s'insurgea Laura.

— Je ne sais pas si on vivra assez vieux pour voir les femmes s'impliquer en politique afin de changer les choses en leur faveur.

— Je l'ignore, Dalma, mais je suis fière que tu te préoccupes du sort des femmes. Je suis chanceuse de t'avoir épousé, mon amour !

— Je te remercie, ma tendre Laura, de me donner tant de bonheur. Je ne me rappelle pas d'avoir déjà eu un désaccord avec toi.

— Tu as la mémoire courte, mon chéri, formula-t-elle. Il y a à peine quelques instants, je t'ai dit que je ferais moi-même la vaisselle ; tu n'en as fait qu'à ta tête, comme toujours ! termina-t-elle en rigolant.

— Je ne serai pas puni pour si peu, j'espère ? blagua-t-il. Ma désobéissance a été causée par ma hâte de me retrouver avec toi dans notre lit douillet.

— Y a-t-il toujours une motivation secrète derrière chacune de tes actions ? demanda Laura.

— Mais non ! Mais non ! s'esclaffa Dalma en lançant le linge à vaisselle. Ce n'est qu'occasionnel, rassure-toi !

Dalma prit Lauretta dans ses bras pour lui faire des câlins. La petite adorait ces moments d'intimité avec son père. Se sentant aimée, elle riait de bon cœur aux bouffonneries de celui-ci. Ce qu'elle préférait, c'est quand il se mettait à quatre pattes et la pourchassait. Laura lui reprochait quelquefois de trop stimuler la petite avant son coucher. Mais ce soir-là, il voulait simplement lui montrer qu'il l'aimait.

Laura alla préparer le bain de la petite. Après être venue chercher sa fille, Dalma monta dans la chambre conjugale et se déshabilla. Il vida le contenu de ses poches – canif, portefeuille, calepin et crayon. Puis, il disposa ses vêtements sur le cintre de bois sur pied, plia son pantalon correctement pour que celui-ci soit encore portable le lendemain, déposa sa chemise et sa veste à l'endroit prévu. Dalma aimait l'ordre. Ensuite, il prit le pichet, versa de l'eau fraîche dans le bol en céramique placé sur un guéridon et se frotta vivement le visage, le cou et les aisselles. Il termina ses ablutions par les parties intimes. Le samedi, lui et sa femme se servaient à tour de rôle du bain en cuivre. Quand ils se sentaient taquins, Dalma et Laura prenaient leur bain ensemble.

Pendant que Dalma se préparait pour la nuit – et l'amour –, il chantonnait, exprimant ainsi son bonheur et sa chance. Laura ne tarderait pas à le rejoindre, car il l'entendait border leur fillette en l'incitant à faire une prière pour remercier Dieu de ses largesses. Il savait qu'il serait excité en la voyant se déshabiller et répéter le rituel auquel il venait de se livrer.

C'est si beau une femme, pensa-t-il. Il ne comprenait pas ceux qui restaient célibataires, mais il reconnaissait que les femmes ne ressemblaient pas toutes à sa Laura – belle, séduisante et racée. Se demandant s'il la désirerait toujours autant dans vingt ans, il en vint à la conclusion qu'ils vieilliraient ensemble et s'aimeraient tout autant qu'aujourd'hui.

Quelques minutes plus tard, Dalma regardait Laura se préparer pour la nuit. Il exultait à l'idée qu'elle serait bientôt dans ses bras. Elle posait des gestes lascifs. Dalma avait l'impression qu'elle faisait exprès pour qu'il s'alanguisse encore plus…

— Viens, chérie ! lança-t-il. Je n'en peux plus d'attendre.

— Encore un petit instant! Tu ne veux pas que je mette un peu de talc qui sent si bon?

— Je t'aime au naturel! Tu sais bien que, pour moi, rien n'arrive à la hauteur de ton odeur intime.

— Tu es vraiment gentil de me dire ça. Je ne mettrai pas de talc, vu que tu insistes.

Laura retira sa chemisette et se glissa sous les draps. Elle se colla contre son mari. Dalma prit rapidement l'initiative en l'embrassant tout en la serrant dans ses bras. Sa bouche quitta les lèvres de Laura pour se réfugier sur sa nuque, à la naissance de sa chevelure. Dalma huma profondément ces effluves qui l'enivraient. Cela chatouilla la jeune femme, mais l'excita tout à la fois. Elle sentit l'effet qu'elle provoquait chez son époux. Elle osa le toucher; cela fut accueilli par un profond soupir de satisfaction.

— Est-ce que c'est le fait que je sois enceinte qui t'excite tant?

— Ce sont plutôt tes seins gonflés. J'ai l'impression qu'ils me narguent…

— Avant le souper, nous ne pouvions rien faire. Mais maintenant, je crois que le moment est parfait pour tout ce qui te passe par la tête. Je sais que ton imagination peut s'avérer très fertile.

— C'est vrai, et en plus, j'ai très faim de ton corps.

Dalma passa de la parole aux actes : il fit tourner Laura sur le dos et embrassa chacune de ses vertèbres, jusqu'à ses fesses, qu'il prit à pleines mains. Sa frénésie ne cessait de s'amplifier. Il fit pivoter sa femme sur le ventre et recommença à l'embrasser, en débutant par ses pieds si mignons et si soignés, puis il poursuivit sa remontée en écartant ses jambes. Il s'attarda sur la partie si tendre de son entrecuisse. Laura adorait l'attention que Dalma portait à son être tout entier. Il ne ressentait aucun dédain, même pas pour ses parties intimes. Quand il exerça une pression sur son clitoris avec sa langue, elle perdit tout contrôle : elle saisit les cheveux de son mari pour l'encourager à poursuivre ses caresses. Sa jouissance fut violente, mais ce n'était que le début. Ensuite, il titilla du bout de sa langue un des mamelons de sa bien-aimée tout en caressant l'autre mamelon. Laura était sur le point de hurler, alors qu'elle tentait désespérément d'introduire l'organe gonflé au maximum dans son antre en feu – comme un volcan sur le point d'entrer en éruption.

— Mon amour, prends-moi, je t'en prie ! Sinon, je vais crier et réveiller la petite !

Pour toute réponse, Dalma l'embrassa et se glissa lentement en elle. Il ne pouvait pas agir autrement sans risquer d'exploser. Il souleva sa femme et glissa ses mains sous ses fesses. Sa Laura était vraiment en feu ; il sentait une contraction qui l'enserrait plus fermement que d'habitude. C'était trop ! Il éjacula violemment avec le sentiment que son cerveau explosait en même temps. Quand il reprit ses esprits, il remarqua un goût salé dans sa bouche. Laura lui avait mordu la lèvre par mégarde en atteignant son deuxième orgasme. Tous deux avaient connu une symbiose parfaite. Laura s'accrochait à son corps avec ses jambes et ne semblait pas prête à le libérer.

— Je t'aime tellement, mon chéri !

— Je t'aime tout autant, mon amour. Quelle intensité !

— Tu es un amant attentionné et très doué, et ce, depuis notre première fois.

— J'étais pourtant puceau quand je t'ai épousée. Tu es donc la seule responsable de ma folie !

— Je veux bien être reconnue coupable, si c'est ma seule faute ! s'exclama Laura qui commençait à revenir sur terre.

Elle desserra son étreinte, car le sommeil était sur le point de l'envahir. Elle était si heureuse et comblée. Dalma ne tarda pas à tomber dans les bras de Morphée. Ils dormirent paisiblement – et Lauretta en fit autant. La fillette, qui se réveilla la première, vint se glisser dans le lit de ses parents.

Laura ouvrit les yeux.

— Bonjour, mon p'tit loup ! fit-elle. Tu as bien dormi ?

— Oui, maman. J'ai faim !

— Je me lèverai dans un instant. Maintenant, tu devrais réveiller papa !

Dalma avait tout entendu. Il fit semblant de dormir, le temps que la petite soit rendue de son côté du lit. Quand il devina qu'elle était sur le point de le surprendre, il s'assit dans le lit en rugissant comme un lion. Lauretta sursauta et se sauva en riant en direction de sa mère.

— C'est raté, Lauretta : le lion ne dormait pas ! la taquina sa mère. Que dirais-tu de galettes de sarrasin avec de la mélasse, comme déjeuner ?

— Je préfère du sirop d'érable, maman ! protesta Lauretta.

— Et toi, mon fauve ? Est-ce que ça t'irait, des galettes ?

— Tout ce que tu veux, mon amour ; avec un café bien corsé, ce serait parfait ! répondit Dalma qui semblait en grande forme.

— D'accord ! Mais je ferai une attisée avant de préparer le mélange. Je vous appellerai quand tout sera prêt.

Laura eut une nausée en descendant l'escalier, mais elle put se retenir. Malgré ce malaise, elle était de fort bonne humeur et se sentait détendue. Elle frissonna au souvenir des caresses de son mari et de ses orgasmes. Elle se considérait comme une femme comblée avec un mari en or, une fillette adorable et un bébé à naître. Elle avait l'intuition qu'elle donnerait naissance à une autre fille. Elle savait que Dalma accepterait avec joie ce que la nature leur offrirait, fille ou garçon.

Bientôt, l'odeur des galettes remplit la maison. Dalma descendit avec Lauretta dans ses bras.

— Quel arôme appétissant! J'ai une faim de loup. Et toi, Lauretta, as-tu un appétit de petite louve?

— Moi aussi, papa, j'ai «une grosse» appétit!

— On dit «un gros appétit», ma chérie! la corrigea sa mère.

— Un gros appétit comme papa? demanda la petite.

— Peut-être pas si gros, mais tu as un solide appétit, tout de même. Tu veux une grande galette pour commencer?

— Comme une petite louve?

— Oui, c'est ça! répondit Laura.

Après que tout le monde se fut régalé, Dalma remercia sa femme. Il l'embrassa, ainsi que Lauretta, et quitta la maison. Il se dirigea en direction de l'écurie. Il sella son cheval par habitude parce que, chaque matin, il allait voir son bétail – il craignait que les coyotes attaquent son troupeau. Il avait de très bons chiens qui surveillaient constamment les rôdeurs, mais il aimait vérifier lui-même. Après sa ronde d'inspection, il revenait toujours par le verger. Sa routine matinale était énergisante: elle lui permettait de constater que tout allait bien sur la propriété. La vie était généreuse à son égard et envers les siens. Il espérait qu'il en serait ainsi pour sa descendance et que la chance le suivrait jusqu'à sa mort – il souhaitait évidemment que celle-ci advienne le plus tard possible. Il aimerait bien connaître ses petits-enfants et, pourquoi pas, ses arrière-petits-enfants.

De son côté, Laura songeait qu'elle devait modifier son horaire en fonction de l'enfant à naître. La sieste, même courte, deviendrait obligatoire. Le fœtus qu'elle portait aurait besoin de vitamines, alors dans son alimentation elle privilégierait les légumes verts et les légumineuses, la viande, et elle prendrait de l'huile de foie de morue chaque jour. Le reste viendrait du soleil et du plein air. C'était la recette de sa mère, et celle-ci n'avait eu que de beaux enfants en santé. Laura était fière de sa fille. Lauretta était une très jolie fillette, qui serait sûrement grande si on se fiait à sa taille actuelle. Laura aussi aimait sa vie remplie d'amour. Elle n'aurait pu souhaiter un meilleur mari que Dalma et, en plus, ce dernier était beau et très viril.

Chapitre 11

Lauretta, qui était une fillette facile à vivre, faisait la joie de ses parents. Elle aimait gambader à travers champs ou jouer dans le verger avec sa mère – qui veillait attentivement à l'éducation de sa progéniture. Quand sa petite sœur Ida était née, Lauretta l'avait aimée instantanément. Même si elle n'était plus le seul centre d'attraction de ses parents, elle n'éprouvait aucune jalousie à l'égard du bébé. Avec la venue de sa sœur, elle était passée au rang de grande fille de la maison. À trois ans, elle couvait sa sœur quand sa mère était occupée ailleurs.

Un soir, Laura demanda à son mari :

— As-tu remarqué comme Lauretta s'occupe bien d'Ida ?

— Elle la catine comme toutes les petites filles le font avec leurs poupées.

— Je déteste ce mot-là, Dalma ! Une catin, c'est une fille de mauvaise vie. Le verbe idéal c'est «pouponner» ! Qu'en penses-tu ?

— Je ne voulais pas créer tout un émoi en utilisant le verbe *catiner* ! Vu sous cet angle, je te donne raison, ma chérie.

— Ce que je voulais souligner, c'est que Lauretta fait plus que jouer à la poupée avec Ida. Elle la materne avec beaucoup de talent. Elle aime beaucoup les enfants ; d'ailleurs, je ne serais pas surprise qu'elle devienne maîtresse d'école plus tard ou qu'elle choisisse d'avoir plusieurs enfants.

— Tu ne crois pas qu'il est prématuré de parler de l'avenir d'une fillette d'à peine trois ans ?

— En effet, Dalma. Toutefois, j'ai le pressentiment que je ne suis pas loin de la vérité. Je ressens un malaise qui me fait craindre le pire pour mon aînée. J'ai peur qu'elle souffre…

— Laura, je t'en prie ! Tu n'es ni devin ni sorcière, à ce que je sache ?

— Il ne faut pas rire de l'intuition féminine. Mais je veux chasser cette pensée, car elle m'attriste ! S'il fallait…

— S'il fallait que Lauretta devienne une femme sensée en vieillissant, alors elle suivrait ton exemple. Et lorsque le moment sera venu, elle décidera du nombre d'enfants qu'elle désire.

— Le mari a son mot à dire, quand même !

— Ce sera à nous de la guider vers de bons prétendants. C'est sûr que, en bout de ligne, nous respecterons son choix et prierons le bon Dieu…, déclara Dalma, qui voulait en finir.

— Je crois que la prière sera utile pour l'aider à faire le bon choix.

Contrairement à la majorité des femmes, Laura ne suivait pas le précepte de l'église qui ordonnait que les femmes n'empêchent pas la famille. En accord avec Dalma, Laura avait décidé de limiter la famille à quatre ou cinq enfants. Pour l'instant, avec Lauretta et Ida, ils formaient une famille heureuse et financièrement à l'aise. C'était suffisant pour Dalma; il croyait qu'à chaque jour suffit sa peine et que ça ne servait à rien de se mettre martel en tête avec le futur – que personne ne contrôlait de toute façon. Laura s'inquiétait davantage; peut-être était-ce une question d'instinct maternel, croyait-elle.

La vie continua, sereine. En 1911, Laura retomba enceinte. Lauretta venait d'avoir cinq ans et Ida avait deux ans. Ce fut à nouveau la joie dans la famille. Même si Dalma adorait ses fillettes, il espérait la naissance d'un garçon, cette fois-là. Les mâles perpétuaient la lignée familiale. Il trouvait injuste que les enfants de ses filles ne portent pas le patronyme Frégeau comme dans certains pays.

Laura qui, tout comme son mari, lisait les journaux, craignait les épidémies qui se propageaient dans les grandes villes. La typhoïde et la poliomyélite la terrorisaient, et même la grippe qui pouvait être si virulente. Dalma lui avait expliqué que ces maladies étaient associées à l'absence d'hygiène dans les grandes villes et à l'eau polluée. Il avait ajouté que l'approvisionnement en eau de la maison venait d'un puits, qu'il entretenait avec soin. Les bécosses étaient toujours très éloignées du puits. Par contre, il ne savait pas comment se propageait la grippe ; cependant, il soupçonnait qu'elle se transmettait par contact humain. *Heureusement que Lauretta ne fréquente pas encore l'école*, avait-il pensé.

Les explications de Dalma n'avaient pas rassuré Laura, qui continua à astiquer la maison avec acharnement. Elle dut bientôt cesser cette activité à la suite de la recommandation du médecin. La jeune femme insista pour que Dalma engage une femme qui viendrait laver les planchers deux fois par semaine. Il se plia à cette exigence de crainte qu'elle mette en danger la vie du bébé à naître en poursuivant cette tâche. Dalma ne voulait prendre aucun risque, car Laura était certaine que, cette fois-ci, elle aurait un garçon – d'après la manière dont elle le portait. Le docteur était du même avis.

— J'accepte d'engager quelqu'un, mon amour, mais tu ne trouves que tu exagères ? lança Dalma. Auparavant, tu lavais le plancher une fois par semaine et je gardais mes bottes dans la maison, à moins qu'il neige. Désormais, j'enlève mes bottes dans la remise. L'hiver, je pourrais attraper la crève tellement elles sont froides quand je les mets…, se plaignit-il.

— Notre maison est plus saine, mon chéri ! Il faudra trouver une solution pour tes bottes, cet hiver. Mais tu as tout le temps d'y penser d'ici là, n'est-ce pas ?

Dalma n'insista pas. Laura et lui discuteraient du problème durant l'heure des repas, et parfois après. Mais puisqu'il ne s'agissait que de peccadilles, pourquoi se priver du plaisir d'argumenter ? Ça les amusait autant l'un que l'autre. Ces temps-ci, ils parlaient beaucoup de l'enfant à naître. Laura comptait le temps qu'il restait avant le grand jour de la naissance de Guy ou de Guylaine.

Finalement, Laura accoucha avec l'assistance du médecin et de Dalma – qui s'occupa de faire bouillir de l'eau. Ce dernier aurait préféré être ailleurs pour ne pas entendre les cris de Laura. Elle eut du mal à expulser ce bébé – plus gros que ses deux filles –, mais traversa courageusement cette épreuve. Après quatre heures de travail acharné, Guy sortit de l'utérus de sa mère en hurlant.

— Le moins qu'on puisse dire, Dalma, c'est que ton fils a de bons poumons ! commenta le médecin qui s'affairait à couper le cordon ombilical.

— Il paraît beaucoup plus grand et costaud que ses sœurs. J'ai hâte de connaître son poids.

— Je vais le mesurer et le peser tout de suite.

— Comment te sens-tu, ma chérie ? demanda Dalma à son épouse.

— Libérée ! Guy est beaucoup plus gros que ses sœurs à leur naissance. J'ai hâte de le prendre dans mes bras.

— Le temps de l'emmailloter et il sera à vous, ma bonne dame ! émit le médecin. Il mesure vingt-deux pouces et pèse huit livres et deux onces. C'est un colosse ! Heureusement que ce n'était pas votre premier enfant, car l'accouchement aurait été plus long et plus difficile. Tenez, madame Frégeau, voici votre nouveau-né! ajouta-t-il en lui tendant le bébé.

— Quel beau bébé! s'exclama la nouvelle maman, fière de son rejeton. Il est magnifique, hein, mon amour? Ta lignée est assurée, finalement.

— Tu as raison, ma Laura; il est très beau, même s'il est un peu fripé. Félicitations! Veux-tu que j'invite les filles à venir voir leur petit frère? Lauretta trépigne sur la galerie tellement elle a hâte…

— Bien sûr! Par contre, ça m'étonnerait qu'Ida soit très intéressée par le bébé. Mais fais-la venir, elle aussi.

Du haut de l'escalier, Dalma appela ses filles. Celles-ci accoururent. Lauretta, plus rapide, tenait la main de sa petite sœur de peur qu'elle tombe. Après avoir vu le bébé, Lauretta semblait en extase, tandis qu'Ida paraissait déçue. Même si elle était très jeune, elle semblait avoir peur de perdre sa position d'enfant chérie dans le cœur des membres de sa famille. Dalma s'aperçut de sa déception; il la prit dans ses bras pour la rassurer. La petite entoura le cou de son père.

— J'ai un petit frère? demanda Lauretta.

— Eh oui! répondit sa mère. Nous avons eu un joli garçon, cette fois.

— Tu as entendu, Ida ? lança Lauretta, excitée. Nous avons un petit frère !

— Il est trop petit pour jouer avec moi ! répondit-elle en faisant la moue.

— Il va grandir, voyons ! Tu es maintenant une grande fille. Es-tu contente ?

— Je ne veux pas !

— Tu n'as pas le choix, Ida.

La petite Ida était déçue, mais avec l'aide de sa grande sœur, elle verrait bientôt les avantages de grandir. Une nouvelle étape de la vie de Lauretta venait de débuter : elle allait à l'école. Elle attendait ce moment depuis très longtemps. Rapidement, elle avait appris l'alphabet et aussi à compter avec un boulier. Elle savait également écrire son nom. Lauretta était très fière de son sac d'école en cuir, sur lequel son nom avait été étampé au fer rouge. La fillette était une élève modèle et studieuse. Elle avait réponse à tout et aidait ses petites camarades à former correctement les lettres de l'alphabet.

Quand l'année scolaire se termina, Lauretta était triste, contrairement à la majorité des autres élèves qui exultaient à l'idée du long congé estival. Sa mère la consola en lui proposant de poursuivre son apprentissage durant l'été. Mais cette dernière n'avait pas toujours du temps à lui consacrer, car Ida et Guy l'accaparaient beaucoup. En plus, elle devait entretenir la maison et préparer les repas. Laura occupait son aînée le plus possible en lui confiant diverses tâches, par exemple promener son petit frère dans le landau qui avait été le sien et celui d'Ida. C'était intéressant, mais pas suffisant pour meubler son esprit en ébullition. Un jour, Lauretta eut l'idée de jouer à la maîtresse d'école avec, comme seule élève, Ida qui venait d'avoir quatre ans et qui s'ennuyait, elle aussi. Laura avait conseillé à Lauretta d'apprendre à sa petite sœur l'alphabet et les chiffres. Pour sa part, elle transmettrait à ses filles ses connaissances sur l'ornithologie, la flore et la faune.

Les fillettes disparaissaient après le déjeuner. Laura devait sonner la cloche afin qu'elles reviennent pour le dîner. L'après-midi était consacré aux oiseaux et aux plantes sauvages. Dans ce but, la mère et les deux fillettes se promenaient autour des bâtiments et dans le petit boisé. Ce qui intriguait le plus ces dernières, c'était les nids d'hirondelles, fabriqués avec de la boue sous les corniches de la grange, à l'abri de la pluie, et construits les uns à côté des autres en bon voisinage. Lauretta n'avait encore jamais remarqué la bonne entente existant chez cette espèce d'oiseaux. Quand les hirondelles se sentaient épiées, elles descendaient en piqué comme pour attaquer les intrus. Lauretta et Ida criaient, même si elles n'avaient pas réellement peur. Elles se faisaient du cinéma, sans jamais avoir vu un film.

— Si on allait voir papa dans le verger? suggéra Ida.

— Il faudrait avertir maman, mentionna Lauretta. Sinon, elle pourrait s'inquiéter.

— Allons-y ! On pourrait en profiter pour lui demander un biscuit ?

Elles prirent la direction de la maison. En tant qu'aînée, Lauretta demanda à sa mère la permission de se rendre au verger. Laura n'y voyait aucune objection, mais elle demanda à ses filles de faire attention, car des travailleurs coupaient les gourmands des pommiers – branches stériles ne produisant pas de fruits, mais qui se nourrissaient de la sève quand même.

— Est-ce qu'on peut emmener Guy dans la poussette ?

— Il dort déjà ; il vaut mieux ne pas le réveiller. Une autre fois, peut-être ?

— Est-ce qu'on pourrait avoir un biscuit et de l'eau, maman ?

— Mais bien sûr, mes chéries !

Laura servit à chacune un verre d'eau et un énorme biscuit, qui ressemblait à une galette d'avoine mélangée avec de petits fruits séchés, que les filles avaient cueillis avec leur mère. Lauretta et sa sœur sortirent sur la véranda et s'assirent dans l'escalier pour déguster leur collation.

— Hummm ! C'est tellement bon ! s'exclama Ida en se frottant le ventre, la mine réjouie.

— Te rappelles-tu quand nous avons ramassé des petits fruits avec maman ? Tu mangeais plus de bleuets que tu n'en mettais dans ton panier. Tu étais toute barbouillée et tu avais même taché ta robe.

— J'ai oublié ! mentit Ida.

— Je suis certaine que non ! Tu avais tellement pleuré d'avoir taché ta robe, malgré le tablier que tu portais.

— J'ai mangé mon biscuit, je suis prête ! Et toi ? lança Ida en se levant d'un air décidé. Elle n'aimait pas que sa sœur lui remémore ses mésaventures passées.

— Je vais aller remettre les verres à maman et j'arrive. Attends-moi !

Le chemin était creusé d'ornières où l'herbe ne poussait plus. Le sentier menant au verger était très fréquenté. On y faisait circuler des charrettes chargées de minots de pommes. Ceux-ci transitaient vers le hangar en attendant d'être livrés dans la métropole par train à partir de Farnham. Lauretta, qui connaissait le chemin par cœur, différenciait les variétés de pommes. Elle profita de la promenade pour poursuivre l'éducation d'Ida :

— Tu vois, Ida, ces pommes sont des Lobo. C'est avec elles que maman fait les tartes et les croustades que tu aimes tant. Ces pommes ont un goût sucré et sont très grosses au moment de la cueillette.

— J'aime aussi beaucoup la compote, mentionna Ida.

— Pour la compote, je crois que maman se sert des Melba parce que papa n'est pas complètement satisfait de cette variété. C'est ce qu'il a dit un soir pendant le souper.

— Moi, je préfère les McIntosh parce qu'elles sont surettes.

— Maman met toujours une McIntosh dans ma boîte à lunch quand je vais à l'école.

— Quand est-ce que je vais commencer l'école, moi, Lauretta ?

— Quand tu auras six ans, Ida, soit dans deux ans.

— C'est long, deux ans ?

— Quand je serai en troisième année, tu commenceras ta première année.

— Je vais m'ennuyer. C'est trop long !

— Mais non ! Quand tu entreras à l'école, tu sauras compter, et peut-être même écrire si tu pratiques tous les jours. Je te donnerai un cahier. Je suis certaine que tu seras bonne, si tu m'écoutes.

— Je t'écouterai, Lauretta, je te le jure ; croix de bois, croix de fer ! déclara Ida avant de cracher par terre pour achever son serment comme Lauretta le lui avait montré.

— Tu seras une excellente élève, Ida, et tu feras honneur aux Frégeau. Papa et maman seront fiers de toi!

Continuant à marcher sur le sentier, Lauretta et Ida virent soudainement surgir leur père de l'allée voisine. Il était sur son cheval. Lauretta se demandait s'il les avait entendues, Ida et elle. Croirait-il qu'elle cherchait à dominer sa petite sœur? Elle n'avait pas de mauvaises intentions, mais quand même… Devrait-elle se confesser dimanche au curé, ou bien son attitude était-elle normale? À l'école, sa maîtresse devait dominer la situation pour transmettre ses connaissances, tout comme ses parents à la maison, mais est-ce que son père verrait les choses du même œil? Lauretta conclut qu'elle faisait preuve d'orgueil en voulant assumer un rôle de professeur avec Ida.

— Quelle belle surprise de vous voir ici, mes belles filles! Me cherchiez-vous?

— J'expliquais à Ida les différentes variétés de pommiers qui poussent dans notre verger. Mais je ne m'y connais pas aussi bien que toi, papa.

— Tu es très douée pour ton âge, Lauretta. Et c'est bien d'éduquer Ida sur ce qui nous permet de vivre confortablement. Mais ne vous approchez jamais des bêtes à cornes. Ces animaux sont imprévisibles, et ce n'est pas seulement le mâle qui est dangereux. Les vaches qui ont mis bas peuvent l'être également si elles croient que leur veau est menacé.

— Ne t'inquiète pas, papa! le rassura Lauretta. La simple vue de ces gigantesques cornes me fait peur. Et Ida connaît le danger, elle aussi. Pas vrai, Ida?

— J'ai peur quand ces énormes bêtes me regardent avec leurs gros yeux noirs, répondit-elle en réprimant un frisson.

— Ce sont des Aberdeen-Angus. Leur viande est très appréciée par les connaisseurs.

— On les mange? s'étonna Ida en grimaçant.

— Bien sûr! On a besoin de viande pour rester en santé. Aussi, les filles, ne touchez jamais aux champignons quand votre mère n'est pas là. On peut être très malade si on mange un champignon non comestible, et même mourir.

— Je n'aime pas beaucoup les champignons, moi! fit Ida.

— C'est très bon pour la santé, mais il faut savoir les reconnaître, répondit son père. Maintenant, je vais poursuivre ma tournée; je veux aller vérifier le travail de mes hommes. Ne tardez pas trop. Sinon, votre mère s'inquiétera!

— On voulait seulement te saluer, papa, émit Lauretta. Maintenant, on va s'en retourner à la maison. Qu'en penses-tu, Ida?

— Bonne idée! Je commence à être fatiguée. On pourrait aller se balancer?

— Bien sûr.

— Bonjour, papa !

— Bonjour, Ida ! la salua son père.

Après avoir rebroussé chemin, les deux sœurs constatèrent qu'elles avaient parcouru une grande distance sans trop y prêter attention. À cause de la fatigue, elles marchèrent plus lentement qu'à l'aller, discutant de tout et de rien. Ida posait beaucoup de questions, auxquelles Lauretta répondait de son mieux. L'aînée adorait sa cadette, et Ida le lui rendait bien en lui accordant une confiance aveugle. Quant à Guy, il était trop jeune pour jouer avec ses sœurs. Il était encore considéré comme un bébé, même s'il marchait déjà. Ida se plaignait souvent de lui parce qu'il passait son temps à défaire son casse-tête en bois et mettait des pièces dans sa bouche.

En arrivant à la maison, Lauretta et sa sœur se rapportèrent à leur mère. Celle-ci leur demanda si elles voudraient bien aller nourrir les animaux du poulailler, mais Ida avait peur des oies qui étaient agressives. Lauretta avait vaincu sa peur en rudoyant celles-ci, comme son père le lui avait montré. Elle ne s'en laissait pas imposer et repoussait les oies quand elles se jetaient sur la nourriture comme des affamées.

— Il faut que tu apprennes à contrôler ta peur, Ida ; sinon, les oies vont en profiter ! recommanda Lauretta à sa sœur. Ne te laisse jamais mordre sans réagir. S'il y a en a une qui ose le faire, tu dois lui donner un bon coup de pied. Après, elle te laissera tranquille, crois-en ma parole !

— Chaque fois que je vais dans la basse-cour, je me fais mordre les cuisses ou les bras. Ça fait très mal !

— Suis mes conseils et défends-toi ! insista Lauretta.

Ida entra dans la basse-cour en surveillant les oies du coin de l'œil. Ces dernières arrivaient toujours en bande. Avant qu'elles soient trop près, Ida se tourna dans leur direction en criant et en ruant. Quelques plumes volèrent dans les airs. Les oies se sauvèrent en criaillant. L'une d'elles siffla en s'éloignant. Ida en conclut que celle-ci était la dirigeante du clan. La petite fille lui donna un coup de pied, qui la souleva de terre. La bête se mit à criailler à son tour. Ida se tourna vers sa sœur avec un large sourire.

— Comme ça ?

— Tout à fait ! s'écria Lauretta. Bravo, Ida ! En plus, tu as frappé la plus vicieuse de la bande. La prochaine fois que tu viendras les nourrir, les oies vont cacarder très fort, mais elles se tiendront tranquilles. On a beau dire qu'elles sont sottes, mais elles ont de la mémoire malgré tout ! ajouta-t-elle en riant de bon cœur.

Quelques secondes plus tard, elle reprit, l'air sérieux :

— Il ne faut jamais frapper les animaux par plaisir, Ida. Toutefois, il faut se défendre quand on est attaqué parce que certaines bêtes ne comprennent que si un humain les domine. Elles peuvent devenir très gentilles, une fois domptées. C'est papa qui me l'a expliqué. Et c'est vrai aussi avec les chiens. Il ne faut jamais se laisser vaincre par la peur si on veut éviter les morsures.

— On va dire à papa que je n'ai plus peur des oies. Il va être content!

— N'entre pas dans les détails, cependant, l'avertit Lauretta. Maman te gronderait, même si papa est d'accord avec cette façon de faire.

— Pourquoi? s'étonna Ida.

— Parce que maman est trop sensible! Papa m'a raconté qu'elle ne pouvait pas supporter de le voir zigouiller les poules. Par contre, elle est capable de les déplumer…

Ida haussa les épaules, comme si Lauretta venait de lancer une ineptie. Elle nourrit les poules, les canards et les oies pendant que sa sœur ramassait les œufs dans les nids.

— J'aime beaucoup le poulet que maman prépare souvent, le dimanche, fit Ida. Plus que le bœuf…

— Moi aussi, j'aime mieux le poulet que le bœuf, sauf en ragoût.

La vie se déroulait paisiblement pour Lauretta et Ida. L'une guidait l'autre sur le chemin de la vie, la préparant à sortir du cocon familial. Un jour pas si lointain, la cadette entrerait à l'école à son tour. Lauretta voulait que sa sœur brille devant les autres élèves, tout comme elle. Se sentant isolée sur la propriété familiale, l'aînée avait hâte de retourner en classe et de vivre l'effervescence de la rentrée. Elle savait qu'elle excellerait à nouveau parce qu'elle était intelligente et que peu d'élèves avaient une motivation aussi grande que la sienne. Contrôlant sa hâte de son mieux, Lauretta comptait les jours qui la séparaient de la rentrée.

Lauretta avait dix ans – elle terminait sa quatrième année – quand Laura accoucha de Françoise, qui fut son dernier bébé. Dotée d'une nature paisible, c'était de loin la plus belle enfant de la famille. Ida allait maintenant à l'école, mais elle était moins passionnée que sa grande sœur. Elle s'ennuyait parce qu'elle connaissait déjà toute la matière et n'était pas encline à aider les élèves moins talentueuses. Elle passait ses journées à rêvasser et à dessiner dans un cahier destiné à cet usage. On lui confisqua celui-ci à maintes reprises, mais vu ses bonnes notes, on le remettait chaque fois à Ida.

— Je vous avertis pour la dernière fois, mademoiselle Frégeau! clama l'enseignante. Il faut être présent de corps et d'esprit dans ma classe. Vous avez très souvent la tête dans les nuages.

— Mais, ma sœur, je connais mon alphabet au complet, répliqua Ida. Je peux l'écrire en lettres attachées et en lettres carrés.

— Vous pourriez en profiter pour perfectionner votre graphie! Une belle écriture est toujours appréciée. Mais vous passez votre temps à dessiner des animaux. Envisageriez-vous une carrière de peintre? Pourtant, vous savez que les artistes sont des bohèmes qui mènent une vie dissolue.

— Mon père m'a montré les peintures d'Ozias Leduc à l'église Saint-Romuald, à Farnham. J'ai trouvé ça très beau. Mon père croit que j'ai du talent.

— L'art sacré vous intéresse?

— Je ne veux pas nécessairement faire comme lui. Oui, j'aime les peintures de M. Leduc, mais j'ai d'autres idées.

— En attendant, jeune fille, vous êtes dans un cours de français! Rangez votre cahier de dessin et perfectionnez votre écriture. Si je vous prends à désobéir, je vous confisquerai votre cahier. Est-ce clair?

— Oui, ma sœur, répondit Ida à contrecœur.

— Je vous donnerai un billet à remettre à vos parents. Vous devrez me le rapporter dûment signé lundi prochain.

— Oui, ma sœur, répéta Ida, l'air dégoûté.

Contrairement à sa sœur Lauretta, Ida ne nourrissait qu'un intérêt mitigé pour les études; elle percevait celles-ci comme un mal nécessaire. Peut-être que si sa grande sœur parvenait à la motiver, cela irait mieux? Lauretta voulait se consacrer à l'éducation, et elle était sur la bonne voie pour atteindre son but. Toujours première de classe, son plus grand plaisir était d'enseigner. D'ailleurs, elle voulait entreprendre l'apprentissage de Guy – qui n'avait pas encore cinq ans. Quand elle parla de son idée à ses parents, qui venaient de recevoir le billet de sœur Gertrude concernant Ida, elle essuya un refus catégorique.

— Tu veux faire de ton frère un singe savant? s'insurgea Dalma. Tu ne vois pas comment cela a mal tourné pour Ida? Si ta sœur n'avait pas appris tant de choses avant de commencer l'école, elle pourrait s'attaquer au programme de troisième année sans problème...

— Ce n'est pas ma faute! l'interrompit Lauretta, qu'on venait d'accuser d'être responsable des difficultés d'Ida.

— Je n'ai pas dit ça, déclara son père. Mais il faut se rendre à l'évidence: Ida s'ennuie à l'école parce qu'elle connaît déjà ce qu'on lui enseigne.

— L'école ne s'adapte pas aux élèves brillantes, papa!

— L'école est conçue pour niveler les élèves vers le centre, et non vers le haut ou le bas.

— C'est injuste! répondit Lauretta.

— C'est comme ça; on n'y peut rien. Et pour ce qui est de ton frère, c'est clair: pas question que tu joues à la maîtresse d'école avec lui.

— Et si je refuse?

— Tu n'es encore qu'une gamine, Lauretta, alors tu me dois obéissance, déclara son père.

Furieuse, Lauretta se précipita dans sa chambre et claqua la porte. Elle était frustrée à cause de l'incompréhension de son père, à qui elle vouait une admiration sans borne.

— Nous avons un problème avec notre aînée, Laura! déclara Dalma. À dix ans, Lauretta a des idées bien arrêtées. Qu'est-ce que ce sera quand elle sera nubile?

— Tu veux dire quand elle aura ses menstrues? Ça viendra plus tôt que tu le penses, mon chéri! L'adolescence est souvent une période difficile pour les femmes; nos hormones nous chamboulent le système. Je me rappelle combien ce fut pénible pour moi.

— Je comprends! Quoi qu'il en soit, j'espère que Lauretta ne se mariera pas trop jeune, qu'elle profitera de sa jeunesse. Heureusement que les filles ne prennent plus époux à quatorze ou quinze ans!

— Peut-être pas à quinze ans, mais il y en a encore qui se marient à seize ans – souvent, parce qu'elles sont enceintes. Plusieurs jeunes filles sont victimes d'inceste, commis par un frère aîné ou leur père.

— Dieu merci, ça n'arrivera jamais ici, je te le jure, ma chérie! J'espère que nos filles vivront avec nous jusqu'au début de leur vingtaine.

— On ne pourra pas faire grand-chose si l'amour pèse dans la balance et qu'elles tombent en amour à l'adolescence, crois-moi.

— Vu sous cet angle, c'est décourageant, Laura !

— Ne te torture pas trop, Dalma. Il faut faire pour le mieux, se fier à sa bonne étoile et donner le bon exemple.

— N'empêche que je suis inquiet, malgré tout ! Crois-tu que tu seras capable de négocier avec nos trois filles, durant leur adolescence ? Je suis mal à l'aise avec les filles ; les choses iront mieux avec notre garçon.

— Oui, mais les filles prennent souvent leur père comme modèle. Tu es un homme formidable et digne d'admiration. Ne t'inquiète pas tant !

— Tu crois ?

— J'en suis certaine, mon amour ! jeta Laura avant d'embrasser son époux.

Chapitre 12

Quand Lauretta atteignit l'adolescence, elle avait appris le partage et l'entraide. Elle adorait s'occuper de sa petite sœur Françoise. Elle excellait en classe et voulait devenir enseignante, malgré l'interdiction de ses parents d'enseigner à son frère et à ses sœurs. Toutefois, elle avait la permission de les aider à faire leurs devoirs. Dans le but de se préparer à sa future profession, elle s'exerçait seule dans ses moments de loisirs devant le tableau noir qu'elle avait reçu comme étrenne pour le Nouvel An. À l'école, on la préparait à devenir plus tard une excellente épouse et mère ; la couture, la broderie et la cuisine faisaient partie du cursus obligatoire des filles. Avant que Lauretta atteigne ses quinze ans, l'éducation des enfants n'avait plus de secrets pour elle. Elle était la fierté de ses parents : elle était intelligente, belle et élégante. Toutefois, son caractère entêté inquiétait sa mère.

Quand Lauretta obtint son brevet d'enseignement, elle avait dix-sept ans. Ses parents lui mirent des bâtons dans les roues. En effet, Laura et Dalma jugeaient qu'elle était trop jeune pour aller habiter seule dans une école de rang, dans un village près de la frontière américaine. Ils ne savaient rien de l'endroit, sinon que celui-ci se trouvait dans un pays de bûcherons.

Lauretta discuta de la situation avec sa mère :

— Que voulez-vous que je fasse en attendant, papa et toi ? s'enquit-elle. Votre souhait, c'est qu'un poste se libère dans la région immédiate de Frelighsburg. Mais vous rêvez, car pour que cela arrive, il faudrait qu'une maîtresse d'école meure ou se marie ! Il n'y a pas beaucoup d'espoir de ce côté-là. J'ai vérifié la liste des professeures ; la moyenne d'âge est de trente-cinq ans. En d'autres mots, ce sont de vieilles filles qui enseigneront encore vingt ou trente ans.

— Ne sois pas si défaitiste, Lauretta ! émit Laura. Tu trouveras sûrement un emploi dans la région. Tu emprunteras un de nos *buggys* pour voyager de l'école à la maison. Ton père s'organisera pour qu'un bon cheval soit toujours à ta disposition. Après avoir enseigné quelques années, tu te marieras et consacreras ta vie à ta famille.

— Si je comprends bien, maman, tu veux que je suive ton exemple ?

— Pourquoi pas ? J'ai une vie paisible et je ne me suis jamais ennuyée. Je suis heureuse d'avoir eu quatre beaux enfants.

— Il ne t'est jamais venu à l'esprit que je pouvais vouloir autre chose ? Par exemple, je pourrais entrer en communauté et devenir missionnaire en Afrique, en Asie ou en Amérique latine.

— Tu dis n'importe quoi, Lauretta ! Impossible pour moi de t'imaginer en religieuse vivant dans la pauvreté et la misère.

— Ce serait quand même mieux que de vivre dans l'oisiveté en attendant que papa me choisisse un mari !

— Qu'y aurait-il de mal là-dedans, dis-moi ?

— Toi et papa, vous êtes d'une autre génération que la mienne. Jamais je n'accepterai que vous m'imposiez un mari.

— Je ne veux pas me brouiller avec toi pour des tracas que le temps arrangera. Une fois mariée, tu auras des enfants. Tu éprouveras une grande satisfaction à les voir grandir et à les guider dans la vie. Je suis tellement fière de toi, Lauretta.

— Fière de quoi, au juste, maman ? Que je doive attendre le prince charmant pour prendre mon envol ? Ce n'est pas ce que j'attends de la vie…

— Sois patiente, Lauretta !

Lauretta fut indignée que sa mère mette fin à leur conversation aussi abruptement : c'était l'équivalent d'une fin de non-recevoir. Elle trouvait injuste de devoir se plier au bon vouloir de ses parents alors qu'elle se sentait prête pour l'aventure. À ses yeux, rien n'était plus noble et honorable dans la vie que d'aider les autres et d'instruire les enfants. Lauretta savait déjà que la plupart de ses élèves ne termineraient pas l'école primaire ; malheureusement, ils seraient des adultes analphabètes.

Le soir venu, Laura rapporta à son mari la conversation qu'elle avait eue avec Lauretta. Dalma était malheureux de la tournure des événements ; il tenait à son aînée comme à la prunelle de ses yeux. Il était temps qu'il passe à l'action et présente les jeunes hommes de bonne famille à Lauretta. Toutefois, il fallait que sa démarche reste subtile afin que sa fille ne remarque rien. Dalma décida donc que les visites des candidats seraient distancées. L'intelligence de Lauretta était si vive qu'il redoutait qu'elle perce le mystère rapidement.

Il aborda la question avec son épouse :

— Que dirais-tu si je me renseignais discrètement auprès de mes amis pour savoir s'il y a, dans leur famille, de jeunes hommes cherchant l'âme sœur ?

— C'est ainsi que nos parents ont procédé avec nous deux. J'ai trouvé la perle rare ; j'espère que notre fille aura la même chance que moi.

— Donc, tu es d'accord ?

— Nous inviterons les prétendants à dîner ou à souper ? s'enquit Laura.

— Cela dépendra des circonstances. On pourrait aussi ne pas offrir de repas, seulement une visite de la propriété ? On verra bien. Et je me fie sur toi pour évaluer l'intérêt de notre fille.

— Ton plan a des chances de réussir, alors je l'approuve, conclut Laura.

Elle souffla sur la lampe posée sur la table de chevet. Dalma en fit autant de son côté. Puis, il souhaita bonne nuit à sa chère épouse en l'embrassant sur la joue. Ce soir-là, il mit du temps à trouver le sommeil. Il passa en revue les familles de ses amis et de ses connaissances. Il ne savait pas si Lauretta accepterait d'épouser un anglophone, même si la majorité des familles anglophones étaient de la deuxième génération d'immigrés; ceux-ci étaient, entre autres, d'origine hollandaise, italienne, ukrainienne et allemande. Ayant trouvé quelques pistes, Dalma s'endormit l'esprit plus tranquille.

Le lendemain matin, après le déjeuner, Dalma attela son *buggy* et descendit au village pour entreprendre ses recherches. Il était impatient de confirmer ses hypothèses de la veille. Il se présenta chez son ami John Andersen, qui le reçut avec grand plaisir. Ce dernier avait marié une Québécoise de langue française; le couple avait un fils célibataire au début de la vingtaine. John tenait un genre de magasin général. On y trouvait de tout, sauf des aliments périssables. William, le fils, avait eu l'idée d'introduire le catalogue Simpson dans le commerce paternel; celui-ci était devenu le point de vente de la région, pour la réception et le retour de la marchandise.

— Comment vont les affaires, John? s'informa Dalma.

— *Pretty good*, je dirais! Et de ton côté, mon ami, comment ça marche?

— Très bien aussi, je te remercie.

— *What can I do for you,* Dalma ?

— C'est un peu délicat… Je ne voudrais pas que ça s'ébruite dans le village.

— *I see !* répondit John en s'approchant comme un conspirateur pour connaître le fin mot de l'affaire.

— C'est au sujet de ma fille Lauretta. Elle veut sauver le monde en enseignant. Elle aura bientôt dix-huit ans, alors j'essaie de lui trouver un prétendant digne de confiance. J'ai pensé à ton fils en premier lieu.

— *Lauretta is the oldest one and a very pretty young lady !* Je me rappelle d'elle parce qu'elle vient ici de temps à autre, *with your wife.*

— Oui, c'est un beau brin de fille, approuva Dalma. Elle est très sage, sauf qu'il lui vient parfois des idées étranges, comme sauver le monde…, ajouta-t-il en éclatant de rire.

— *My boy is very shy,* mais je suis certain qu'elle lui plairait. *She would be beyond his wildest dream !* Comment on pourrait arranger ça, Dalma ?

— Je pourrais inviter William à visiter ma propriété et ensuite, le garder à souper. Mais s'il est aussi timide que tu le dis, il n'acceptera peut-être pas ?

— *Leave it to me,* je m'en occupe. Je serais très honoré *if we could make a match !*

— Je te remercie, John, mais il ne faut pas se faire trop d'idées. Ma fille a des opinions bien arrêtées. Si ça ne fonctionne pas entre ton fils et elle, je ne voudrais pas que cela nuise à notre amitié...

— *Let's give it a try,* et on verra ! Ma femme serait très heureuse que son garçon se marie avec une francophone comme elle et fonde une famille.

— Je t'arrête tout de suite, John ! Vu le jeune âge de ma fille, ma femme et moi voulons que Lauretta et son préten-dant profitent d'une année de fréquentations et de six mois de fiançailles avant le mariage.

— *It's a long time.* Mais si ça marche, *it's all right, I guess.*

— Comprends-moi bien, John : je ne veux pas me débar-rasser de ma fille et je serai triste quand elle partira de la maison. Je veux seulement m'assurer que Lauretta fera le bon choix.

— Je comprends très bien, Dalma.

Les deux hommes se serrèrent la main. Ils fixèrent le rendez-vous au dimanche suivant, après la messe, sur le parvis de l'église. Il leur restait quatre jours pour se prépa-rer l'un comme l'autre. John devait convaincre son fils de surmonter sa timidité et d'accepter l'invitation des Frégeau. Dalma voulait faire la surprise à sa fille parce qu'il savait qu'elle n'apprécierait pas son initiative. Mais percevrait-elle le piège ? Toute la question était là.

William accepta la proposition. Le dimanche suivant, il paraissait résolu mais nerveux. Il avait soigné sa tenue, ciré ses chaussures et peigné sa tignasse de cheveux roux. Il était grand et musclé, et sa peau blanche était parsemée de taches de rousseur. S'il avait été moins timide, il aurait pu séduire la plupart des jeunes femmes en âge de se marier, car il représentait un bon parti. De son côté, Lauretta, ignorant tout du complot, s'était préparée comme d'habitude. Elle arborait un splendide sourire à l'idée de revoir d'anciennes camarades de classe. Parmi celles-ci figuraient quelques amies auxquelles elle confiait ses déboires et ses états d'âme. Lauretta n'avait pas encore accepté le fait que ses parents refusent qu'elle s'exile pour enseigner à Chartierville, petit village situé près de la frontière entre le New Hampshire et le Maine.

Après la messe, Lauretta retrouva ses amies sur le parvis. Quand la température était clémente et le soleil au rendez-vous, les gens se rassemblaient là pour discuter.

— Lauretta, tu te souviens de William, le fils de mon ami John Andersen ?

— Bien sûr ! Bonjour, William ! Connais-tu Marie-Ange Lachapelle et Lucille Bouffard ? Ce sont mes meilleures amies.

— Mais oui ! Je suis enchanté de vous revoir, mesdemoiselles..., déclara William, rouge comme une pivoine.

— Je voudrais faire visiter notre exploitation à William, Lauretta. J'aimerais que tu sois là.

— Je serai à la maison, mais je souhaiterais inviter Lucille et Marie-Ange à passer l'après-midi avec moi – avec ta permission, évidemment. Tu n'aurais pas à transporter mes amies, car Marie-Ange possède sa propre carriole à deux roues.

— Vous êtes les bienvenues, mesdemoiselles. Mais j'espère que vous ne voyez pas d'objection à la présence de William ?

— Mais non, monsieur Frégeau ! répondit Marie-Ange. Toutefois, si vous préférez, Lucille et moi pourrions passer une autre fois.

— Pas question qu'on remette ça ! intervint Lauretta. Par contre, si William veut se joindre à mes amies et moi après sa visite, il pourrait prendre le thé avec nous. Une présence masculine est toujours agréable, n'est-ce pas ? proposa-t-elle, pensant qu'une de ses amies serait peut-être intéressée par un si bon parti.

— Donc, tout va bien ! commenta Dalma, un peu décontenancé par la tournure des événements. Je t'attendrai cet après-midi, William, si tu es toujours intéressé à visiter la propriété.

Ma fille réussirait à se sortir de n'importe quelle situation, pensa Dalma. Il ne capitulerait pas avant d'avoir reçu un non catégorique de la part de Lauretta. Il avait songé à d'autres prétendants potentiels ; il persisterait jusqu'à ce que sa fille trouve l'âme sœur dans la région immédiate. Cet après-midi-là, Dalma sillonna le domaine en compagnie de William.

Pendant ce temps-là, Lauretta discutait avec ses amies. Elle venait de leur raconter que ses parents refusaient qu'elle enseigne ailleurs que dans la région, vu son jeune âge.

— Je ne t'envie pas, Lauretta, mentionna Lucille. Mais as-tu songé que tu pourrais faire un autre métier, comme infirmière ou secrétaire ?

— Je n'aime pas les hôpitaux ; juste à y penser, j'en ai des frissons ! On y voit à longueur de jour des gens malades, estropiés ou mourants. Non, le travail d'infirmière ne me conviendrait pas. Et puis, je ne me vois pas devenir secrétaire. Les filles de bureau reçoivent des ordres comme dans l'armée. Ce n'est pas pour moi, ça non plus !

— Tu es difficile à satisfaire, Lauretta, lui lança Marie-Ange.

— La vérité, c'est que je sais ce que je veux, et c'est enseigner. Ce n'est pas pour rien que j'ai obtenu mon brevet d'enseignement ! Depuis que je suis toute petite que je rêve de ce travail. Mais la dictature de mes parents m'empêche d'entreprendre ma vie professionnelle.

— Je trouve que tu y vas un peu fort avec tes parents, qui sont si gentils, commenta Lucille. Moi, je suis condamnée à devenir une femme au foyer qui prendra soin de son mari et élèvera des enfants à la pelletée – si c'est ce que mon époux décide !

— Je n'ai pas l'intention de me marier et d'être une usine à bébés ; je sais que c'est ce à quoi mes parents pensent, reprit

Lauretta. Pourquoi crois-tu que William Andersen est dans les parages aujourd'hui? Le seul bétail qui l'intéresse, c'est moi!

— Si tu n'en veux pas, Lauretta, je me porte volontaire! s'écria Lucille.

— Ne te gêne pas pour moi! répliqua Lauretta.

— Il y a pire candidat que William. En plus, il est sûrement riche! Il est bel homme, hein, Marie-Ange?

— Attention! prévint cette dernière. M. Frégeau et William s'en viennent dans notre direction…

Lucille et Marie-Ange n'auraient pas craché sur un si bon parti, mais Lauretta refusait de contracter un mariage arrangé. Au fond, elle se rebellait contre la tradition qui voulait qu'on se marie entre gens de la même classe sociale, car c'était presque assurément une garantie de succès. Très perspicace, Lauretta n'y croyait pas; elle avait observé le mensonge et la tricherie chez bien des couples bourgeois. Le vernis était très mince quand il ne se composait que de tromperie et d'hypocrisie. Pour sa part, elle rêvait d'un mariage d'amour – mais elle était encore bien naïve à l'aube de ses dix-huit ans.

Finalement, Lucille et le beau William se mirent à se voir. L'été suivant, ils se marieraient après des fréquentations qui auraient duré un an. Lucille était fort reconnaissante envers Lauretta de lui avoir donné sa chance. De son côté, Dalma était tenace; il ne désespérait pas de trouver un candidat qui plairait à sa fille. Il lui présenta le fils du médecin qui se préparait à prendre la relève de son père, puis un agronome, un pomiculteur et, enfin, un marchand d'animaux. Rien n'y fit !

Lauretta avait fêté ses dix-huit ans depuis un certain temps quand on lui demanda de remplacer une maîtresse d'école qui s'était fracturé une hanche en glissant sur le sol glacé. Lauretta sauta sur l'occasion de vivre sa première expérience d'enseignante dans une petite école de rang. Celle-ci se trouvait dans le secteur de Bedford, soit à une dizaine de milles de Frelighsburg. Lauretta supplia son père de la laisser y aller. Dalma accepta, à la condition qu'elle rentre à la maison chaque soir et qu'un des fermiers de la place chauffe l'endroit au moins une heure avant son arrivée. La classe comptait douze élèves de tous les niveaux scolaires, de la première à la septième année. Lauretta s'impliquait de tout son cœur. Elle recevait des cadeaux en nourriture de tout un chacun. La seule élève de septième année, Corinne, rêvait de devenir maîtresse d'école. Cette dernière aidait Lauretta à maintenir la discipline avec les plus vieux qui n'aimaient pas les études, jugeant qu'il s'agissait d'une perte de temps.

L'inspecteur ne trouva rien à redire à la méthode d'enseignement de Lauretta puisque ses résultats étaient bons, sauf en ce qui concernait une tête brûlée qui manquait souvent les cours. La jeune femme reçut même une recommandation, ce qui la remplit de joie. Le plus difficile, c'était le voyagement. Elle partait à six heures tous les matins et rentrait vers six heures le soir. Son père s'inquiétait tout le temps, et davantage encore les jours de tempête parce que ceux-ci étaient accompagnés de froid sibérien. Il déposait dans le traîneau deux peaux d'ours et des briques chaudes pour les pieds de sa fille.

— N'oublie pas, Lauretta : si les conditions sur les chemins sont dangereuses, arrête à la première maison que tu voies. J'irai te chercher si tu tardes à revenir.

— Voyons, papa ! Si c'est dangereux pour moi, ce le sera tout autant pour toi. Je pourrais coucher à l'école ; il y a amplement de bois pour me réchauffer. Dans le pire des cas, je dormirais dans une des peaux d'ours et couvrirais Princesse avec l'autre. Ne t'en fais donc pas tant. Je suis débrouillarde, tu sais !

— Tu penses que c'est facile pour un parent de ne pas se tracasser ? Quand tu auras des enfants à ton tour, tu verras que ce ne l'est pas. Aussitôt que le vent se lève le moindrement, ta mère sort son chapelet et récite un rosaire. C'est la seule manière qu'elle a trouvée pour se calmer. Comment crois-tu que je me sens quand elle se met à genoux pour prier ? Mon angoisse monte d'un cran…

— Vous vous inquiétez trop ! Maman et toi, vous me couvez comme si j'avais encore cinq ans. Je sais exactement quoi faire en cas d'accident. Vous oubliez que pour obtenir mon brevet d'enseignement, j'ai dû suivre un cours de premiers soins. Je suis très prudente quand le chemin n'est pas complètement dégagé. Je ne me rends pas à l'école à bride abattue comme certains jeunes hommes que je croise.

— Je te fais confiance, Lauretta. Je sais que tu es une fille débrouillarde. Mais ta mère et moi, nous nous faisons un sang d'encre chaque fois que tu pars par mauvais temps.

Heureusement, bientôt le printemps arriva et la crainte de Laura et de Dalma s'atténua. Puis, l'année scolaire se termina. Lauretta n'avait enseigné que cinq mois, mais elle avait vécu la période la plus heureuse de sa vie. Elle rentra chez elle dans l'espoir que l'inspecteur des écoles lui offrirait un autre poste – même un remplacement ferait l'affaire, à défaut d'un emploi permanent. L'été lui parut long en attendant une lettre qui ne vint pas.

Chapitre 13

À l'automne 1924, comme tous les ans, Lauretta se rendit à la foire agricole de Brome. Quelques amis l'accompagnaient, parmi lesquels Marie-Ange, Lucille et William – dont le mariage serait célébré sous peu. Cette foire était l'événement annuel le plus couru de la région, et même au-delà. Il y avait aussi une kermesse où les femmes compétitionnaient dans différents domaines : confitures, marinades, tartes, gâteaux, courtepointes, etc. Le produit de la vente de ces articles était remis aux bonnes œuvres. Après avoir enseigné dans une petite école de rang, Lauretta avait été confrontée à la pauvreté par l'entremise de ses élèves. Elle participait donc activement à un des cercles de charité. Son dada, c'était la confection de vêtements. Elle en avait apporté plusieurs de toutes les tailles.

— Je vais aller vérifier le kiosque où seront vendus les vêtements que j'ai confectionnés. Un bel étalage est très important.

— Tu es devenue une dame patronnesse, Lauretta ? s'étonna Marie-Ange.

— Je n'aime pas le ton que tu as employé, Marie ! À t'entendre, on dirait que c'est honteux de donner pour une bonne cause. Ne crois surtout pas que je fais ça pour reconnaître les personnes qui portent mes vêtements. Il n'y en a pas deux pareils, sauf les pièces composant les ensembles.

— Tu as tous les talents, Lauretta. Je ne sais même pas repriser un bas ou une mitaine…

— L'hiver dernier, avant d'enseigner, j'avais tout le loisir de m'y mettre. Cela m'a grandement aidée à ne pas devenir folle.

— Si un jour tu as une famille, Marie-Ange, tu trouverais cela bien pratique de savoir coudre, émit Lucille. Mais j'y pense! Qu'as-tu fait pendant nos cours à l'école destinés à faire de nous des femmes parfaites?

— J'ai toujours détesté coudre et repriser. Ma force à moi, c'est la cuisine parce qu'on m'a souvent dit que c'est par l'estomac qu'on retient son homme! Je veux que mon futur mari soit à l'aise financièrement, à défaut d'être riche.

— Je te le souhaite, ma belle, indiqua Lauretta. Mais même si un homme a de l'argent, il peut être radin!

— Je ne marierai certainement pas le premier venu, rétorqua Marie-Ange.

— Comme je viens de te le dire, je te le souhaite! As-tu trouvé la perle rare?

— Pas encore, mais mon père y travaille! Toutefois, les attentes de mon promis concernant la dot pourraient me nuire.

— Pourquoi?

— Parce que mon père n'a pas trop les moyens de payer…, répondit Marie-Ange.

— Je trouve cette tradition complètement ridicule!

— Moi aussi. C'est comme si j'étais à vendre, mais que c'était le vendeur qui payait, et non l'acheteur. J'ai l'impression de valoir moins que rien et qu'on est prêt à débourser pour se débarrasser de moi…

— Tu as raison, Marie-Ange, admit Lauretta. Mais il vaut mieux cesser d'y penser, si on ne veut pas déprimer le reste de la journée.

— Il faut voir ça comme un coup de main donné au couple, intervint William.

— Dans ce cas, William, pourquoi le père du marié ne verserait-il pas sa part, lui aussi? demanda Lauretta.

— Parce que l'homme est le chef de famille, dit-il. Mais lui aussi donne sa quote-part.

— Et les pauvres, dans tout ça? questionna Lauretta, en colère. Pas de dot, donc pas de mariage pour eux?

— La vie est plus difficile pour ces gens-là. Espérons qu'ils sont débrouillards et qu'ils ont un bon nom!

— Que veux-tu dire par là, toi le marchand?

— S'ils ont un bon crédit, ça peut toujours aller. Mais si ce n'est pas le cas, ils vont en arracher et leurs enfants ne mangeront peut-être pas trois repas par jour.

— Reprenons notre marche avant que je me fâche ! rétorqua Lauretta.

Le petit groupe fit le tour du site pour voir s'il y avait des nouveautés, cette année-là. Lauretta, qui s'était calmée, remarqua qu'il y avait de l'agitation du côté du corail. Comme la jeune femme aimait les chevaux, elle se rendit sur place, entraînant avec elle sa joyeuse bande. Quelle ne fut pas sa surprise de voir un cavalier monter un taureau. Celui-ci, qui s'agrippait à sa monture désespérément, réussir l'exploit de rester en selle durant le temps requis. L'homme était petit, avec des muscles noueux, mais il semblait très viril et arborait un sourire de vainqueur. Lauretta fut séduite, mais elle n'en montra rien. Ses amis et elle restèrent autour de l'enclos pour voir les autres participants risquer de se casser le cou pour une maigre récompense. L'homme qu'elle avait remarqué remporta l'épreuve ; il reçut une récompense de vingt-cinq dollars. Plus tard, le même homme enfourcha un cheval avec l'adresse qu'il avait déployée sur le taureau. Il émettait des cris comme pour stimuler le cheval, et descendit de celui-ci avec assurance. Lauretta étudia attentivement l'inconnu ; elle le trouva beau. *Il est très différent des prétendants que mon père m'a présentés jusqu'à maintenant*, songea-t-elle.

— Marie-Ange, as-tu remarqué le cavalier qui a gagné les deux épreuves? demanda-t-elle à son amie. J'en connais un rayon dans le domaine, alors je peux affirmer qu'il est excellent. Je me demande s'il conduit une carriole avec autant de fougue.

— La pleine lune te jouerait-elle des tours, ma belle Lauretta? la taquina Marie-Ange.

— Ça se voit tant que ça?

— J'ai bien l'impression que tu apprécierais une promenade en carriole avec lui, surtout s'il en profitait pour t'embrasser…

— Tu es sotte, Marie!

— Je te connais, Lauretta. Quand tes pommettes rougissent, c'est que tu ressens de grandes émotions.

— Mais je le trouve un peu trop désinvolte à mon goût.

Le regard d'Émile croisait souvent celui de Lauretta. Était-ce toujours le fruit du hasard? se demandait Lauretta. L'étranger se trouvait en compagnie d'un homme, avec lequel il avait des traits communs. Le cavalier paraissait au bord de la trentaine, tandis que l'autre – plus grand – était âgé de vingt-cinq ans environ. Lauretta se dit que ce devait être deux frères venus à la kermesse sans leurs femmes. D'après elle, ils n'habitaient pas la région.

Un peu plus loin, elle remarqua les deux inconnus devant le stand de tir. Ils riaient fort et compétitionnaient l'un contre l'autre. Elle s'immobilisa pour les observer. Son groupe fit halte également. Cette fois, l'étranger gagna une peluche.

— Excusez-moi, mademoiselle, mais j'aimerais savoir laquelle vous choisiriez, dit-il à Lauretta.

— Je prendrais l'ourson! répondit-elle spontanément, un peu surprise par ses paroles.

— Il est à vous! dit-il en lui mettant l'ourson dans les bras.

Il quitta aussitôt le stand de tir. Lauretta était abasourdie qu'il n'ait pas profité de l'occasion pour se présenter. *Il n'est pas intéressé,* supposa-t-elle. La dernière fois qu'elle l'aperçut, il montait à bord d'une camionnette. En 1924, ce type d'engin était encore inusité dans les environs. S'il avait les moyens d'avoir un véhicule motorisé, il n'était donc pas un pauvre hère. *Mon père, lui, se déplace encore à cheval,* réfléchit Lauretta.

Après la foire agricole, chaque fois que ses yeux se posaient sur l'ourson dans sa chambre, la jeune femme pensait à l'étranger. Mais au bout d'un moment, ce ne fut plus le cas.

Chapitre 14

L'automne suivant, quelle ne fut pas la surprise de Lauretta de voir apparaître à la ferme familiale l'homme qui lui avait donné l'ourson en peluche. Leur rencontre remontait à presque un an.

— Bonjour, mademoiselle. Je voudrais cueillir des pommes, mais je ne suis disponible que le samedi et le dimanche. Est-ce que vous avez besoin de cueilleurs ?

— Oui. Nous payons au rendement. Avez-vous déjà cueilli des pommes ?

— Je fais cette activité depuis que je suis tout jeune, mademoiselle.

— Est-ce que je peux savoir votre nom ?

— Émile Robichaud.

— Vous m'avez donné un ourson à la foire agricole de Brome, l'an dernier. Vous en rappelez-vous ?

— Je n'oublie jamais une jolie femme, mademoiselle…

— Lauretta Frégeau ! répondit-elle en rougissant.

— Je peux commencer tout de suite à travailler, si vous voulez.

— Prenez le chemin à droite. Mon père vous indiquera les arbres où les pommes sont prêtes.

— D'accord, mademoiselle Frégeau. À plus tard, peut-être ?

— Sûrement ! J'aide moi-même, la fin de semaine.

— On se verra plus tard, dans ce cas, dit Émile.

Lauretta était impatiente de se rendre dans le verger. Le fait de revoir cet homme mystérieux et fascinant la motivait au plus haut point. Pourquoi la simple vue d'Émile Robichaud la troublait-elle tant ? Elle n'aurait su le dire, mais au moins, elle connaissait enfin le nom de celui qui avait perturbé son sommeil l'automne dernier. Et voici qu'un an plus tard, il était réapparu. Était-ce un signe du destin ? Lauretta l'ignorait. Elle s'habilla plus coquettement que d'habitude, même s'il était risqué de déchirer un vêtement sur une branche de pommier. Elle se dépêcha de se rendre au verger. D'humeur joyeuse, la jeune femme marcha d'un bon pas tout en chantonnant.

— Tu sembles très en forme ce matin, Lauretta ! s'exclama son père qui l'avait entendue chanter.

— Il fait beau, le soleil brille et la température se réchauffera d'ici peu. C'est le temps idéal pour cueillir des pommes.

— Un nouveau cueilleur vient d'arriver. J'aimerais que tu travailles près de lui pour l'évaluer, si ça ne te dérange pas.

— Avec plaisir, papa ! Où l'as-tu placé ?

— Dans la rangée située à ta droite. Surtout, assure-toi qu'il cueille délicatement les fruits, parce que, comme tu le sais, les pommes meurtries valent à peine plus que les pommes cueillies au sol pour la fabrication du cidre.

— Ne t'inquiète pas, papa, je l'aurai à l'œil !

Lauretta trouva facilement l'endroit où travaillait Émile. Elle s'installa au pommier voisin. Pendant qu'elle cueillait les fruits dans le bas de l'arbre, elle jetait des coups d'œil fréquents en direction d'Émile. Ce dernier, très agile, déployait délicatesse et rapidité. Lauretta ne voulait pas qu'il se sente espionné, mais c'était plus fort qu'elle : son regard était attiré irrésistiblement vers lui. Il venait à sa rescousse chaque fois qu'elle avait besoin d'aide, par exemple pour déplacer une grande échelle. Lauretta finit par s'habituer à sa présence. Quand elle ne le voyait pas, elle s'inquiétait. Souvent, elle le découvrait juché au sommet d'un pommier, où il était allé cueillir quelques pommes isolées. Lauretta admirait la souplesse et la témérité du jeune homme.

À la fin de la journée, il avait battu le record parmi tous les cueilleurs, et ce, malgré l'aide qu'il avait offerte à Lauretta. Il n'avait pas jasé beaucoup et n'avait même pas pris de pause pour manger. Il avait croqué une pomme de temps à autre, et c'est tout.

— Reviendrez-vous demain, monsieur Robichaud ? lui demanda Lauretta.

— Appelez-moi Émile, voyons ! Je viendrai demain, si ça vous va ? J'ai beaucoup aimé travailler avec vous, mademoiselle Lauretta.

— Si vous insistez pour que je vous appelle Émile, vous devrez m'appeler Lauretta. Et laissez tomber le « mademoiselle », je vous prie…

— D'accord, Lauretta.

— Vous m'avez beaucoup aidée aujourd'hui ; je vous en remercie grandement. J'ai passé une journée très agréable avec vous.

— C'est réciproque. J'espère que je travaillerai encore avec vous demain.

— Ça me ferait plaisir.

— À demain ! lança-t-il avant de partir.

Lauretta était déçue. Émile s'était montré poli et très serviable, mais il n'avait tenté aucun rapprochement – il n'avait même pas essayé de lui prendre la main. Les mains d'Émile étaient sans doute rudes. Mais pourraient-elles se faire tendres pour la caresser ? Lauretta fut surprise par ses pensées érotiques envers cet homme, dont elle ne connaissait que le nom. Où vivait-il et quel était son métier ? Elle se promit de l'interroger le lendemain. Songeuse, elle retourna à la maison.

Le souper était délicieux, mais Lauretta était perdue dans ses pensées. Elle mangeait machinalement le contenu de son assiette. Laura était un peu fâchée par son attitude.

— Qu'y a-t-il, Lauretta? Tu n'aimes pas le souper? C'est pourtant ton repas préféré.

— Excuse-moi, maman, formula Lauretta. Tout est délicieux, mais je suis fatiguée de ma journée de travail.

— Tu n'es pas très convaincante, ma fille!

— C'est peut-être la pleine lune? C'est demain, je crois? Ça m'affecte toujours un peu. Ma période approche peut-être? Je vais vérifier tantôt sur le calendrier.

Laura renonça à l'idée d'obtenir une réponse cohérente de sa fille. Durant la dernière année, Lauretta avait beaucoup changé. Après son remplacement à l'école de Bedford et les vacances durant lesquelles elle avait surveillé le courrier dans l'espoir de recevoir une lettre de l'inspecteur des écoles lui offrant un poste, son caractère s'était modifié.

Soudain, Laura s'exclama:

— Oh! Lauretta! J'allais oublier que tu as reçu une lettre ce matin après ton départ pour le verger.

— Où est-elle, maman?

— Je l'ai laissée dans le portique où je dépose toujours le courrier.

Lauretta se précipita dans le hall d'entrée. Elle décacheta aussitôt la lettre. Il s'agissait d'une proposition de contrat pour enseigner dans une école de rang, tout près d'un village situé non loin de la Beauce. Mais Lauretta éprouva une grande déception parce qu'elle savait que ses parents s'objecteraient à ce qu'elle accepte un poste aussi éloigné. La jeune femme ne s'était pas trompée ; elle perdit sa bataille avec Laura et Dalma. Elle monta se coucher, maussade.

— Je l'ai pourtant entendue chanter ce matin pendant qu'elle se rendait au verger, lança Dalma à sa femme.

— Ça tient du miracle ! J'aurais voulu être là, car il y a longtemps que je ne l'ai pas entendue chanter. Heureusement que notre fille possède une machine à coudre. Ça la tient occupée ; sinon, je craindrais qu'elle sombre dans une profonde mélancolie.

— Laissons-la tranquille, Laura. Elle ira mieux avec le temps, j'en suis certain. Mais je refuse qu'elle s'exile au diable vauvert !

Personne n'avait compris la raison de son air maussade. Certes, l'attitude de ses parents dérangeait Lauretta, mais la vraie cause était la réapparition d'Émile Robichaud dans sa vie. Lauretta savait que jamais Laura et Dalma n'accepteraient qu'elle fréquente un homme comme Émile. Était-ce par esprit de contradiction qu'elle s'intéressait tant à lui, ou parce que le souvenir de leur première rencontre s'était gravé dans son esprit ? Comme un magicien ou un sorcier, il avait conquis son cœur. Elle, qui était sage, avait de plus en plus de pensées érotiques en songeant à Émile. Dans ses rêves, ce dernier l'embrassait sans son consentement. Il allait même plus loin en lui caressant la poitrine et le dos, en descendant jusqu'à ses fesses. À ce moment-là, Lauretta tentait de se débattre pour montrer son désaccord, mais elle sentait l'érection de l'homme quand il l'empoignait par la taille, l'empêchant de se libérer de son emprise. Quand elle se réveillait, elle était déçue de constater qu'il s'agissait d'un rêve. En réalité, elle aimerait qu'Émile la prenne de force comme un conquérant, mais ce ne serait qu'un jeu parce qu'elle n'avait aucune envie de lui résister.

Après une nuit agitée, Lauretta alla déjeuner. Elle prépara un petit en-cas pour le dîner – qu'elle mangerait dans le verger avec Émile, espérait-elle.

— Tu as retrouvé le sourire ce matin, Lauretta ? commenta sa mère.

— J'ai compris que ça ne servait à rien d'argumenter avec papa et toi !

— Tu es encore mineure. En plus, le poste qu'on t'offre est trop éloigné. Dalma et moi, nous ne pouvons pas te laisser partir si loin.

— Nous en avons déjà discuté hier soir. J'attendrai donc d'atteindre ma majorité avant d'accepter le travail que le gouvernement me proposera. À ce moment, vous ne pourrez plus vous opposer à mes décisions, papa et toi.

— Tu as retrouvé le sourire, oui, mais il est vindicatif. Tout ce que nous faisons, c'est pour ton bien, comprends-le !

— Je comprends que cela est injuste. Mais en tant que parents, vous aurez autorité sur moi jusqu'à mes vingt et un ans. D'ici là, je me consacrerai à la couture. Peut-être que je pourrais ouvrir un petit atelier au village ?

— Voilà un projet constructif, mais as-tu les compétences nécessaires ? Peut-être devrais-tu suivre des cours ?

— On en reparlera, si tu veux, maman. Maintenant, je dois me préparer pour aller au verger.

Lauretta se rafraîchit avant de quitter la maison. En sortant, elle aperçut la camionnette d'Émile. Un grand sourire fleurit sur son visage. Elle accéléra le pas pour aller retrouver le jeune homme.

— Bonjour, Émile ! Comment allez-vous ce matin ?

— Très bien. Mais est-ce qu'on pourrait se tutoyer ? Je vouvoie seulement les aînés.

— Je ne vois pas de problème, sauf que moi, je vouvoie habituellement les étrangers. Mais dis-moi : où habites-tu et qu'est-ce que tu fais dans la vie ?

— Tu es bien curieuse !

— J'aime savoir à qui j'ai affaire. C'est normal, non ?

— Je possède une terre à Stanbridge East, mais jusqu'à maintenant, c'est mon frère qui s'en est occupé. Moi, je bûche sur les chantiers, l'hiver, et ces temps-ci, je travaille sur la *track*. L'ouvrage ne manque pas pour quelqu'un qui veut travailler. Si je suis venu cueillir des pommes, c'est pour m'amuser.

— Pourquoi tu ne travailles pas sur ta terre?

— C'est une longue histoire…

— Raconte toujours!

— Mon père est mort quand j'avais quatorze ans. Ma mère s'est remariée un an après. Son mari et elle voulaient vendre la terre, alors j'ai dû l'acheter. Pour payer la propriété, j'ai commencé à travailler sur les chantiers et à faire toutes sortes de *jobs,* le reste de l'année. Comme je te l'ai dit, mon frère Aimé travaillait sur ma ferme. Mais là, il veut se marier et acheter sa propre terre, avec une érablière. Je vais être obligé de reprendre du service.

— Ça ne semble pas t'emballer?

— Je m'étais habitué à un autre genre de vie. Mais j'ai pas le choix; c'est la ferme ancestrale.

— Je comprends. Il y a peut-être trop de souvenirs rattachés à cet endroit?

— Peut-être… Mais je ne suis pas certain que je peux vivre là sans fonder une famille.

— Tu n'as pas d'amoureuse ?

— Je n'ai pas encore trouvé la perle rare. Toutefois, je ne désespère pas.

Lauretta fut étonnée. Elle s'interrogeait : pourquoi n'était-il pas déjà marié ? Tout en jasant, Émile et elle cueillaient des pommes, mais le rythme du travail avait diminué depuis la veille. Distraite, Lauretta faillit tomber de la grande échelle. Émile se précipita pour la recevoir dans ses bras. Lauretta eut plus de peur que de mal, mais elle était gênée de se retrouver dans les bras de celui dont elle avait rêvé la nuit dernière. Elle était à sa merci. Émile la tenait sous les aisselles. La main de celui-ci frôlait son sein droit et son autre bras reposait à la base de ses fesses. Il la déposa doucement sur le sol. Il sentait les seins généreux de la jeune femme contre lui. Une de ses mains glissa sur les fesses de Lauretta, de crainte de l'échapper.

— Heureusement que tu étais là pour me rattraper au vol ; sinon, j'aurais pu me casser un membre ! commenta Lauretta avant de l'embrasser sur la joue pour le remercier.

— C'est tout ce que je mérite pour t'avoir sauvé la vie ?

— Dans ce cas, un bec sur les lèvres, mais pas plus…

Émile la serra dans ses bras et l'embrassa avec passion, tout en caressant son sein. Loin de résister, Lauretta enlaça Émile fougueusement. Soudainement, elle reprit le contrôle de ses sens et tenta de se dégager, mais Émile ne semblait pas vouloir la relâcher.

— Soyons sages, Émile! Si mon père nous voyait, il te chasserait à coup sûr.

— Je n'ai rien provoqué, Lauretta. Tu m'as excité!

— J'ai perdu la tête, ce dont je m'excuse sincèrement. C'était très agréable, j'en conviens, mais je suis mineure.

— Quel âge as-tu? demanda Émile, incrédule.

— Je n'ai que dix-neuf ans, malheureusement.

— Tu as l'air d'une femme mature avec ce corps à faire damner un saint. Tu es si jolie; je te désire, Lauretta!

— C'est flatteur, mais je ne suis pas prête à nouer une relation sérieuse.

— J'ai perçu chez toi un désir identique au mien, dit-il. Ne fais pas semblant d'être indifférente, car je sais que tu as senti mon érection contre ton ventre. Regarde l'effet que tu me fais: touche! ajouta-t-il en posant la main de Lauretta sur son sexe.

Lauretta avait l'impression d'être sous hypnose. Elle ne voulait pas le toucher à cet endroit. Toutefois, sa curiosité et son désir étaient si forts qu'elle ne put résister. Émile lui caressait un sein. Il tenta de l'embrasser, mais Lauretta détourna la tête sans pour autant lâcher son organe – à la fois rigide et moelleux. D'où venait l'emprise qu'Émile exerçait sur elle? Lauretta l'ignorait, mais elle y prenait plaisir au point qu'une moiteur envahit son entrecuisse. Lauretta était sur le point de se laisser aller quand elle entendit des gens se rapprocher. Elle reconnut la voix de son père.

— Qu'est-ce qui t'arrive, Lauretta ? lui demanda ce dernier en l'apercevant. Tu es toute rouge.

— J'ai failli tomber de la grande échelle, celle qui n'a que trois pattes ! Heureusement qu'Émile était tout près, car j'aurais pu me casser un membre en tombant de si haut.

— Tu as été chanceuse, en effet ! Tu devrais te limiter à cueillir dans le bas des pommiers.

— Mais tu as toujours dit que lorsqu'on s'attaquait à un pommier, il fallait le vider de ses fruits parce que sinon, c'était injuste pour les autres cueilleurs.

— Tu as raison ! répondit son père.

Dalma se tourna ensuite vers Émile :

— Monsieur Robichaud, je vous remercie d'avoir évité à ma fille un fâcheux accident. Est-ce que ça vous intéresserait de travailler ici toute la semaine ?

— Je ne peux pas, parce que je dois m'occuper de ma terre.

— Excusez-moi, je ne le savais pas.

— Si vous prévoyez avoir besoin de moi samedi prochain, je pourrais venir.

— Il y a du travail dans le verger pour encore deux bonnes semaines.

— Je serai là samedi et dimanche prochains, dans ce cas-là.

— Parfait! Je vous attendrai. Et toi, Lauretta, tu devrais cesser de travailler. Va te reposer à la maison.

Lauretta détestait quand son père la traitait comme une fillette. Elle était devenue une femme plantureuse avec une peau de pêche qui attirait le regard des hommes. Et les femmes l'aimaient parce qu'elle respirait la sagesse. Actuellement, un grand tumulte agitait Lauretta. Il y a un an, Émile avait ébranlé son âme chaste, mais ce qu'elle ressentait maintenant été bien plus puissant. Lauretta découvrait le désir dans toute sa force et sa violence. Elle avait besoin de connaître le plaisir charnel. Après tout, la majorité des femmes de son âge étaient déjà mariées.

De son côté, Émile réfléchissait. Il voulait posséder Lauretta plus que toute autre femme avec qui il avait eu des relations sexuelles. Il la désirait et était prêt à tout pour l'avoir. À vingt-neuf ans, il n'avait jamais connu la frénésie qui le consumait entièrement. Était-ce la fraîcheur de cette jouvencelle de dix-neuf ans à peine, encore pucelle, qui lui faisait un tel effet? Sa beauté l'avait frappé la première fois qu'il avait posé les yeux sur elle, mais cette fois-ci, Émile voyait un signe du destin dans le fait de l'avoir retrouvée. Il devait la compromettre pour s'assurer qu'elle serait à lui pour longtemps. Lauretta n'avait rien en commun avec les catins qu'il rencontrait dans les bars malfamés qu'il fréquentait. Il tirait un coup et ne revoyait ces femmes que très rarement. Pour Lauretta, il était prêt à mettre fin à ces aventures sans lendemain. Mais pour l'instant, il avait très soif… Émile sauta dans son *pick-up* et s'arrêta dans le premier bar qu'il croisa. Il but plusieurs bières et un verre de gnôle avant de rentrer chez lui.

Le samedi suivant, il fut un des premiers cueilleurs à se présenter au verger des Frégeau. Il y avait de la rosée ce matin-là, mais ça ne l'affectait aucunement. Il n'avait qu'une idée en tête : revoir Lauretta. Mais Émile savait qu'il était trop tôt pour elle. Même M. Frégeau ne s'était pas encore pointé dans le verger. Il travailla une bonne heure avant l'arrivée de Dalma Frégeau. Il salua ce dernier d'un signe de tête et poursuivit son travail.

Du coin de l'œil, Émile vit le patron se diriger vers lui.

— Bonjour, Émile ! fit Dalma. Vous êtes bien matinal, ce matin. En forme ?

— Comme toujours, monsieur Frégeau.

— De toute évidence, vous êtes une force de la nature, Émile !

— J'ai toujours travaillé très dur. En comparaison, cueillir des pommes est une partie de plaisir.

— C'est évident, mais j'ai une faveur à vous demander. Je préférerais que ma fille Lauretta évite de grimper dans la grande échelle, alors j'aimerais vous charger de cette mission. Je sais que la cueillette de pommes c'est moins payant dans le haut des arbres, mais je pourrais vous allouer une compensation.

— J'ai pas besoin de compensation pour ça. Sachez que j'ai fait des *jobs* pas mal plus dures dans ma vie. Inquiétez-vous pas, j'vais m'en occuper.

— Vous êtes bien avenant, Émile. Mais je vous récompenserai quand même, car tout travail mérite un juste salaire.

— C'est comme vous voulez.

— Lauretta ne devrait pas tarder à arriver. Elle préparait une collation pour la pause du midi quand je suis parti de la maison.

— Pas de problème, je serai là ! assura Émile qui avait de la difficulté à cacher sa joie.

Sans le savoir, Dalma jetait sa fille dans la gueule du loup, pensa Émile. À la moindre occasion, il passerait à l'action. Il voulait séduire Lauretta, coûte que coûte. Elle serait à lui peut-être dès aujourd'hui, mais assurément avant la fin de la saison des pommes. Il travaillait quand il la vit arriver. Lauretta ressemblait à une madone avec son panier de piquenique à la main. Elle était encore plus belle que la semaine précédente. Émile l'aurait embrassée et prise aussitôt s'il s'était écouté, mais il devrait attendre pour assouvir ses bas instincts. Il dut cacher son érection en se détournant de cette vision céleste. Lauretta ne comprit pas sa réaction. Elle était certaine de lui plaire, pourtant. Peut-être s'était-il ressaisi depuis leur dernière rencontre? La jeune femme essaya de cacher sa déception.

— Bonjour, Émile! fit-elle. Êtes-vous là depuis longtemps?

— J'ai été un des premiers arrivés. Regardez le nombre de minots que j'ai remplis depuis ce matin.

— Ça ne devait pas être chaud pour les mains parce que la température était froide cette nuit.

— Le froid, c'est rien quand on a le cœur en feu, Lauretta!

— Qu'est-ce que vous dites? s'écria Lauretta, éberluée par le changement de ton de son interlocuteur.

— Tu as très bien compris. Mon cœur brûle pour toi!

Lauretta resta silencieuse. Ébranlée par les propos d'Émile, elle déposa son panier et se mit à cueillir des pommes. Se pouvait-il qu'il soit tombé amoureux en si peu de temps? Durant l'année écoulée, avait-il espéré que le destin les rassemblerait? Il était tellement différent des prétendants que son père lui avait présentés. Lauretta avait peur de lui, mais en même temps il l'excitait comme personne auparavant. La notion d'interdit l'affriolait au plus haut point, mais cette idée de péché l'agaçait également. Par le passé, sa conscience avait déjà balancé entre le bien et le mal, mais c'était la première fois que Lauretta souhaitait que le péché gagne – quitte à devoir se confesser par la suite. Elle avait le goût de sentir les mains d'Émile s'égarer sur son corps. Elle avait des papillons dans le ventre ; elle attendait impatiemment que son vis-à-vis passe à l'attaque. Quelle serait son approche ? Déjà, il l'avait tutoyée sans lui demander son avis et lui avait déclaré son désir sans détour.

Au moment où Lauretta saisit la grande échelle pour cueillir les pommes au sommet de l'arbre, Émile intervint :

— Laisse-moi m'occuper du haut des pommiers. J'veux pas que tu te casses le cou asteure que je t'ai retrouvée, Lauretta !

— Me prends-tu pour une incapable, Émile Robichaud ?

— Même si tu te fâches, cela ne donnera rien. C'est trop glissant ce matin, alors c'est moi qui vais cueillir au sommet des arbres.

— Mais ce sera moins payant pour toi ?

— C'est pas important !

— C'est comme tu veux ! céda Lauretta en reprenant la cueillette.

Lauretta observa son compagnon manœuvrer la grande échelle ; il fit preuve d'une grande habileté. En peu de temps, Émile nettoya la tête du pommier et redescendit sans perdre de temps pour s'attaquer au suivant. Il se concentrait sur son travail – un peu trop au goût de Lauretta qui aurait voulu qu'il la courtise ou, à tout le moins, lui parle de tout et de rien. Cela aurait aidé à réduire la tension sexuelle qui s'amplifiait entre eux au fur et à mesure que l'avant-midi avançait.

À midi, Lauretta déclara :

— J'ai fait suffisamment de sandwichs pour nous deux, Émile. J'ai remarqué que tu n'avais mangé que quelques pommes durant la fin de semaine dernière.

— C'est ben fin de ta part, mais quelques pommes feront l'affaire encore aujourd'hui.

— Sois gentil, Émile, et viens manger les sandwichs que j'ai préparés. Ils sont au rôti de lard. Je suis certaine que tu les trouveras très bons.

— Je me demande pourquoi j'peux rien te refuser ! répondit Émile, trop content de céder à sa demande.

— Parce que j'ai été gentille de penser à toi ce matin.

— C'est vrai que t'es fine quand tu veux...

— Ne commence pas, Émile Robichaud !

— T'as du caractère, ma belle Lauretta ! indiqua-t-il en ricanant.

— Ce n'est pas pour rien que je suis devenue maîtresse d'école, émit Lauretta lorsque son compagnon s'assit à ses côtés.

— Moi, j'ai commencé à travailler trop tôt pour avoir le temps d'aimer l'école.

— On aime ou on n'aime pas; il n'y a pas d'excuse qui tienne!

— Tu parles en général ou cela concerne l'école? s'enquit Émile avec un sourire qui en disait long.

— Qu'est-ce que tu sous-entends par cette question?

— Tu m'aimes ou tu ne m'aimes pas?

— Je t'aime plus que je ne t'aime pas! se moqua Lauretta.

Émile la prit par la taille et se pencha pour l'embrasser. Il s'attendait à un holà ou, au pire, à une gifle. Il sentait le sein bien ferme de Lauretta se presser contre sa poitrine. Il saisit son autre sein. Émile se mit à caresser frénétiquement Lauretta.

Quelques minutes plus tard, cette dernière chuchota:

— Pas ici, car on pourrait être vus!

— As-tu une meilleure idée?

— Je ne sais pas trop…

— Si on allait dans une rangée où la cueillette est terminée, on aurait la paix. Qu'en penses-tu?

— Peut-être…

— Suis-moi!

Troublée par la réaction de son corps aux caresses d'Émile, Lauretta avait l'impression d'être en transe. Ce dernier la prit par la main et se chargea du panier à pique-nique. Il trouva la cachette idéale : un pommier dont les branches, qui touchaient presque le sol, formaient une ombrelle qui les soustrairait aux regards indiscrets. Il tira Lauretta par le bras et la força à s'asseoir sans lui laisser le temps de réfléchir. Ils n'avaient pas le choix de s'étendre par terre pour passer sous les branches. Une fois dans le refuge, Émile couvrit Lauretta de caresses. Celle-ci perçut un amalgame de sensations nouvelles. Elle voulut parler, mais il plaqua sa bouche de la sienne. Sa main se glissa sous la longue jupe ; il flatta la cuisse de la jeune femme et se rendit à son ventre palpitant. Lauretta se cabra instinctivement pour donner un meilleur accès à la main baladeuse. Prenant ce geste pour une acceptation, Émile toucha le sexe de Lauretta. Il caressa sa toison et chercha à insérer un doigt entre ses lèvres humides, mais il trouva de la résistance. Émile changea son approche ; il se mit à masser voluptueusement le sexe de sa compagne.

Lauretta était sur le point de lui céder quand elle eut un sursaut de lucidité. Comment avait-elle pu se retrouver sous un pommier avec un homme qui voulait la posséder ? Mais elle se sentit défaillir, et toute sa volonté l'abandonna. Émile lui faisait découvrir des plaisirs inconnus. Il s'attaquait à ses vêtements qui faisaient obstacle à son désir de la voir nue. Il dégrafa son corsage et prit entre ses lèvres un des mamelons hérissés sans pour autant cesser de caresser la vulve qui était de plus en plus mouillée. Lauretta était au bord de l'extase. Émile inséra un doigt dans son sexe, puis un deuxième, sans rencontrer la moindre résistance. Lauretta arqua son dos dans l'espoir de jouir. Elle pensait perdre la tête tellement son plaisir était intense. Émile détacha sa braguette, repoussant sans délicatesse les obstacles qui barraient la route à son but ultime. Gardant sa bouche sur celle de Lauretta pour éviter tout cri. Émile pénétra la jeune femme. Cette dernière ressentit une douleur cuisante, qui s'estompa rapidement grâce au va-et-vient d'Émile. Bientôt, celui-ci se raidit, retenant ses gémissements.

Tous deux étaient à bout de souffle. Émile s'effondra sur le corps de Lauretta. Cette dernière, qui avait joui, revenait lentement à elle. *Quelle étrange sensation que d'être pénétrée par un corps étranger chaud et vibrant!* songea-t-elle. Il était temps qu'elle remette de l'ordre dans sa tenue. La réalité la frappa de plein fouet: elle venait de perdre sa virginité, qu'elle aurait dû garder pour son époux le soir de ses noces.

— Mon Dieu! Qu'est-ce qu'on a fait là?

— C'est comme ça qu'on fait l'amour, Lauretta!

- J'avais une vision plus poétique de la chose.

— C'est mieux dans un lit, mais j'en pouvais plus d'attendre, déclara Émile.

— Retournons rapidement à notre lieu de travail. Peut-être que notre escapade sera passée inaperçue.

— Tu dis les choses curieusement, mais je veux te dire que j'ai beaucoup aimé ça et que je suis prêt à te marier, si tu veux.

— C'est drôle, mais j'ai l'impression que le fait que tu aies pris ma virginité n'a pas d'importance pour toi.

— Tu exagères, Lauretta. Je viens quand même de te proposer le mariage.

— Je doute que tu veuilles m'épouser.

— J'suis très sérieux. Un beau brin de fille comme toi, on laisse pas ça s'envoler…

Chapitre 15

À dix-neuf ans, Lauretta était encore mineure. Si jamais Dalma apprenait qu'Émile avait dépucelé sa fille, ce dernier serait bon pour la prison. De plus, Émile n'était pas le genre de prétendant idéal pour sa fille adorée. Lauretta ignorait comment aborder avec ses parents le sujet délicat de la demande en mariage d'Émile.

La saison des pommes était terminée, alors les occasions de rencontrer Émile n'existaient plus – à moins de mentir à ses parents, ce que Lauretta ne faisait pas de gaieté de cœur. Cela pesait lourdement sur sa conscience, et elle n'osait pas se confesser au curé. Semaine après semaine, Émile venait la chercher en cachette, lui faisait l'amour au risque de la mettre enceinte, puis il la ramenait près de chez elle. Quand l'hiver s'installa, il fut impossible au couple de combler ses besoins sexuels en plein air. Lauretta et Émile convinrent que ce dernier viendrait la chercher à leur lieu de rendez-vous habituel, et qu'ensuite, ils iraient chez lui.

Lauretta n'en pouvait plus de mentir. Et elle craignait qu'Émile se défile de ses engagements envers elle.

— Ça ne peut plus durer, Émile ! Tu dois te déclarer auprès de mes parents. Ils commencent à se poser des questions sur mes disparitions hebdomadaires.

— Ça ne me dérange pas de parler à ton père, mais j'ai l'impression que je ne suis pas le genre d'homme qu'il veut comme mari pour toi. Mais peut-être que je me fais des idées.

— Peu importe ce que désirent mes parents. C'est à moi de choisir mon futur mari.

— Comment voudrais-tu procéder, Lauretta?

— Tu pourrais te présenter chez nous dimanche après-midi et les mettre devant le fait accompli.

— Qu'est-ce que t'entends par «fait accompli»? Tu veux quand même pas que je leur dise que nous forniquons ensemble en cachette? J'suis un homme mort si ton père l'apprend. Dans le meilleur des cas, je me retrouverai au cachot!

— On leur confiera seulement qu'on s'aime et qu'on veut se marier. C'est tout!

— J'suis d'accord, mais qu'est-ce qu'on fera si tes parents ne veulent rien savoir? On continuera à se voir pareil?

— On verra à ce moment-là, lança Lauretta.

— Dimanche prochain, après le dîner?

— Oui.

— J'serai là! répondit Émile.

Comme promis, le dimanche suivant, Émile se présenta à la porte des Frégeau. Ida ouvrit au visiteur.

— Papa, il y a un M. Robichaud qui veut te voir, annonça-t-elle.

Le cœur de Lauretta se mit à palpiter. Elle se leva et suivit son père. Émile avait mis ses plus beaux vêtements, mais sa tenue révélait son manque de raffinement – ou d'intérêt – pour son apparence. Dans le hall d'entrée, Lauretta prit la parole :

— Tu reconnais sûrement Émile Robichaud, papa ? Il a travaillé ici, à la cueillette, cet automne. Émile et moi, nous sommes tombés amoureux.

— C'est toute une surprise que tu me fais là, ma fille ! Ça explique sûrement tes absences répétées depuis quelques mois.

— Bonjour, monsieur Frégeau ! dit Émile en lui tendant la main.

Dalma fit semblant de ne pas voir la main du jeune homme. *Quel mauvais départ !* songea Émile. Son sang bouillait dans ses veines. Lauretta prit le manteau de son ami et Dalma invita ce dernier à le suivre, après lui avoir demandé d'enlever ses couvre-chaussures.

Quand Lauretta présenta l'élu de son cœur à sa mère, l'accueil fut poli mais froid. La conversation se tint à demi-mot. Son père arborait une mine désapprobatrice, déçu de ne pas avoir été prévenu plus tôt. Après le départ de cet étranger, il se promettait d'enguirlander sa fille pour avoir agi en catimini.

Quand la question du mariage vint sur la table, Laura faillit faire une syncope. Pourquoi Lauretta avait-elle choisi le pire des prétendants qu'elle avait rencontrés? De plus, Émile Robichaud n'était recommandé par personne. Le destin venait de jouer un autre de ses mauvais tours.

L'entretien fut bref. Ensuite, Lauretta raccompagna Émile dans le hall d'entrée.

— On peut pas dire qu'ils sont très chauds à l'idée de notre mariage, lança le jeune homme, l'air aigri.

— Ça n'a pas d'importance, Émile. Je t'épouserai, que mes parents soient d'accord ou pas. S'il le faut, nous attendrons ma majorité pour nous marier.

— Est-ce qu'on continue de se voir la semaine?

— Rien ne change! dit-elle en l'embrassant.

— À mercredi?

— À mercredi, mon chéri. Surtout, ne t'inquiète pas!

Laura tenta par tous les moyens de dissuader sa fille de marier Émile, mais sans succès. Elle demanda à Dalma de parler à Lauretta et de la convaincre de reconsidérer sa décision. Malgré tous les bons partis qui l'auraient volontiers épousée, Lauretta ne changea pas d'avis. Émile l'avait gâtée avec le sexe, qui avait été une découverte fantastique pour elle. Elle attendait toujours avec impatience les mercredis, et se morfondait le reste du temps. Émile n'était pas doux avec elle, mais direct. Il n'y avait jamais de quiproquo avec lui. Elle souhaitait qu'il la fasse jouir un peu plus chaque fois. Ils jouaient avec le feu, car ils faisaient l'amour sans protection. Par chance, Lauretta avait un cycle très régulier, alors elle connaissait sa période d'ovulation. Lorsqu'elle avait ses menstruations, elle satisfaisait Émile autrement. La jeune femme croyait que c'était son rôle de le contenter à tout prix.

Malgré leur désaccord, les parents de Lauretta durent se résoudre à consentir au mariage. Dalma avait entendu dire qu'Émile buvait beaucoup et qu'il trempait dans des activités illégales. D'après certaines personnes, il transportait de l'alcool aux États-Unis et faisait passer des Chinois par le lac Champlain. Émile n'avait jamais été arrêté et avait un casier judiciaire vierge. Sans preuves, Dalma ne pouvait rien faire.

Un mercredi de l'hiver 1926, Émile arriva à son rendez-vous galant le visage tuméfié. De plus, il empestait l'alcool.

— Qu'est-ce qui t'est arrivé, Émile ? le questionna Lauretta.

— Une chicane avec un Américain, hier. Rien de grave !

— Comment ça, rien de grave ? Mon père aurait donc raison : tu es un trafiquant d'alcool.

— C'est pas vrai ! Hier, j'ai acheté une vache et je me suis disputé avec le vendeur parce qu'il a changé de prix à la livraison. J'ai finalement payé le prix convenu. Après, j'ai fêté un peu, c'est tout.

— Je ne te crois pas! Tu ne m'as jamais dit que tu prenais un coup.

— Ton père boit, lui aussi.

— C'est vrai, mais il n'est pas un ivrogne, lui! répliqua Lauretta.

— Fais-en pas toute une histoire, baptême! C'est pas la fin du monde!

— J'accepterai peut-être de te revoir quand tu auras dégrisé. Et j'espère que tu auras une meilleure explication; sinon, ce sera fini entre nous.

— Énerve-toi pas. Ça n'arrivera plus, je te le promets.

— Je ne te crois pas, Émile Robichaud.

— Qu'est-ce qu'il faudrait que je fasse, bâtard de viarge, pour que tu me croies?

— Il faut que tu me promettes de ne plus jamais boire, rétorqua Lauretta, excédée par ses jurons. J'ai l'impression que tu ne contrôles pas ta consommation d'alcool.

— D'accord! Est-ce que tu viens chez nous pareil?

— Non. Tu sens la tonne à plein nez, alors je n'ai même pas le goût de t'embrasser! Je vais tout simplement retourner chez moi. Nous nous reverrons la semaine prochaine.

Furieux, Émile partit sans protester, de peur d'aggraver la situation. À Stanbridge East, il s'arrêta à l'hôtel pour prendre un dernier verre, ce qui dégénéra finalement en beuverie. Son frère Aimé, qui le cherchait, finit par le trouver.

— Qu'est-ce que tu fais ici, Émile ? Il y a le train à faire, mais je n'y arriverai pas tout seul. Je dois aussi m'occuper de mes propres affaires.

— Va faire mon train. J'te payerai plus que ce que tu gagnerais avec tes affaires ! Je viens de réaliser un gros coup d'argent en passant une cargaison complète aux lignes américaines.

— T'as la face mal emmanchée ! Est-ce que tu t'es battu ?

— Ouais ! J'ai failli me faire pogner. Quand j'ai rencontré mon contact aux États, il a refusé de me donner le prix qui avait été convenu. Il me payait cent cennes dans la piastre ou rien ! C'est là que la chicane a pris. Il en a mangé une maudite.

— À voir l'état de ton visage, j'ai l'impression qu'il s'est assez bien défendu, répliqua Aimé.

— C'est parce que tu l'as pas vu que tu dis ça. Le gars est pas mal plus magané que moi, je t'en passe un papier !

— Tu devrais pas boire autant, Émile. T'as rencontré une bonne femme. Il faut que tu t'assagisses, si tu veux la garder.

— T'as raison. Mais tu sais ben qu'à la minute où j'touche à l'alcool, j'suis plus capable d'arrêter ! C'est mon seul défaut…

— T'es un alcoolique. Tu devrais entrer dans une ligue de tempérance.

— Es-tu malade ? J'ai besoin de personne pour arrêter de boire. J'ai juste à me tenir loin de la boisson.

— Plus facile à dire qu'à faire, hein ? lança Aimé.

— Pis, vas-tu aller faire mon train, oui ou non ? J'te donne dix piastres.

— Pour dix piastres, c'est sûr que j'accepte. Mais je te trouve un peu fou !

— Penses-tu que j'suis en état de tirer mes vaches, arrangé comme je suis là ? Voilà ton dix, pis laisse-moi tranquille…

Aimé prit l'argent en secouant la tête d'un air réprobateur. Ensuite, il prit la direction de la ferme d'Émile. Il fit un crochet chez lui pour souper et avertir sa femme qu'il devait passer chez Émile. Il lui remit les dix dollars pour qu'elle accepte son absence sans rouspéter. Elle prétendait toujours qu'Émile abusait de lui.

Émile continua à boire jusqu'à la fermeture de l'hôtel. Complètement ivre, il s'endormit dans son camion – ce qui était plus prudent, dans les circonstances. Il se réveilla un peu avant l'aube, en se demandant où il était. Puis, il se rappela sa journée de la veille : la poursuite des douaniers, la bagarre avec le trafiquant et, finalement, sa querelle avec Lauretta. Sa journée avait été forte en émotions ; c'était pour cette raison que, ce matin, il se retrouvait dans la cour de l'hôtel du village. Il avait une faim de loup, et beaucoup de travail l'attendait à la ferme. Heureusement qu'il avait gagné pas mal d'argent, ce qui l'aidait à se pardonner ses bêtises. La seule chose qu'il ne se pardonnait pas, c'était son attitude face à Lauretta. Il l'aimait vraiment et ne voulait pas perdre cette perle rare.

De son côté, après sa rencontre avec Émile, Lauretta retourna chez elle à pied. Elle refusa les offres des fermiers qui passaient, prétextant qu'elle faisait une marche de santé. En mars, c'était encore l'hiver, mais elle était si déçue par l'attitude d'Émile qu'elle se questionnait. Ne valait-il pas mieux rompre et l'oublier? Ses parents se réjouiraient si elle leur annonçait une rupture.

Émile n'était pas parfait; il n'avait pas un langage châtié et faisait du trafic – bien qu'il ne l'eût jamais avoué. Mais le pire, pour Lauretta, c'est qu'il semblait incapable de contrôler sa consommation d'alcool. La jeune femme jugeait cela inacceptable. Pourrait-elle le changer? Ou plutôt, pourrait-il changer par amour pour elle? Elle le souhaitait, mais elle doutait qu'il en fût capable.

Lauretta aimait le courage et la témérité d'Émile. Tous ses anciens prétendants étaient raisonnables et bien-pensants. Émile était différent: c'était une force de la nature. Il ne connaissait rien aux bonnes manières, mais avec lui, Lauretta se sentait protégée, aimée et désirée; aucun autre homme ne lui avait donné autant. Les conventions étouffaient tout. De plus, Émile l'avait initiée au plaisir sexuel – celui-ci était tabou avant le mariage, et même après. Une de ses consœurs de classe lui avait raconté que son mari ne l'avait jamais vue nue. Il se contentait d'écarter ses sous-vêtements et les siens pour lui faire l'amour à heure fixe une fois par mois en souhaitant qu'elle devienne enceinte. Émile était tout le contraire, même s'il s'était montré maladroit au début, et il semblait doté d'un appétit insatiable.

Concernant le sexe, Lauretta ressentait encore un problème de conscience. Elle vivait en état de péchés capitaux puisqu'elle ne confessait pas son péché de luxure et qu'elle communiait tous les dimanches malgré tout. Elle priait pour se libérer du désir coupable qu'elle ressentait pour Émile, mais cela ne changeait rien. Elle avait peur de commettre une erreur irréparable en s'attachant à lui par les liens sacrés du mariage. Plus personne ne pourrait la sauver par la suite. Son âme était aussi torturée que son cœur. Si au moins ses parents l'avaient autorisée à accepter le poste de maîtresse d'école qu'on lui avait offert, elle ne serait plus oisive. Elle se consacrerait à la noble tâche d'éduquer des enfants, de les préparer à affronter la vie et ses responsabilités.

Pendant que Lauretta réfléchissait tout en marchant vers la maison, son père se trouvait derrière elle, bien installé au chaud sous sa pelisse dans son traîneau. Prisonnière de sa rêverie, la jeune femme ne s'était pas rendu compte de la présence de Dalma. Ce dernier se plaça à côté de sa fille, mais elle ne réagit pas.

— Lauretta, ma chérie, est-ce que ça va ?

— Papa ? Je ne t'ai pas entendu arriver. J'étais perdue dans mes pensées.

— Qu'est-ce qui te tracasse tant ?

— Je crois que l'oisiveté va me tuer ! J'aimerais me sentir utile à quelqu'un, à quelque chose. J'ai l'impression d'errer sans but, à la dérive…

— Est-ce Émile qui te torture l'esprit ?

— Pourquoi es-tu toujours si négatif quand tu parles de lui, papa ?

— Parce que je n'éprouve aucun bon sentiment quand je pense à cet homme. J'ai peur qu'il te fasse souffrir, si tu t'unis à lui. Le mariage n'est pas à prendre à la légère, ma chérie, car il dure toute la vie. C'est la plus grosse décision que tu prendras de ton existence, ne l'oublie pas !

— Impossible de l'oublier, papa, car tu me le rappelles constamment.

— Allez, monte dans le traîneau, ma fille ! Le trajet est trop long à parcourir à pied avec ce petit vent. Laisse-moi profiter de ta présence pour le peu de temps qu'il nous reste à passer ensemble.

— Tu parles toujours comme si j'allais mourir demain matin.

— Après ton mariage, je te verrai de moins en moins souvent, déclara son père. Il y aura la distance, et puis viendront les enfants, la vieillesse, la maladie… Tu sauras me le dire, ajouta-t-il en voyant l'air sceptique de Lauretta.

— Tu dramatises toujours, papa! Pourquoi tout changerait-il simplement parce que je me marie?

— On verra bien. Mais je sais qu'Émile nous a pris en grippe, ta mère et moi, parce que nous avons mal réagi à l'annonce de votre mariage. D'ailleurs, je n'ai pas changé d'avis; je n'approuve pas cette union. Et ça m'attriste de penser que je perdrai ma fille aînée que j'aime tant!

— Ne dis pas ça, voyons! Mon départ me chagrine, moi aussi. Je vous aime tous tellement.

— Je n'aborderai plus jamais le sujet, mais sache que ma porte te sera toujours ouverte. Et aussi pour tes enfants, si tu en as…

Le silence tomba sur le traîneau. Lauretta se colla contre son père, le cœur rempli d'une très grande affection pour lui. Elle posa sa tête sur l'épaule de cet homme qui avait été toute sa vie jusqu'à l'arrivée d'Émile. Dalma et Lauretta gardèrent cette position jusqu'à la maison, comme deux amoureux s'apprêtant à se quitter définitivement. Le traîneau s'immobilisa devant la maison. Dalma enlaça sa fille. Celle-ci lui rendit son étreinte avant de courir vers la maison. Lauretta pleurait. Elle s'empressa de se réfugier dans sa chambre, où elle se jeta sur son lit pour épancher sa peine.

— Dalma, qu'est-ce que tu as fait à notre fille pour qu'elle soit dans cet état ? lui demanda sa femme.

— Je l'ai ramassée sur la route. Elle était dans un état second, perdue dans ses pensées. Sur le coup, j'ai pensé qu'elle s'était disputée avec Émile. Je lui ai expliqué comment nous nous sentions face à sa décision de se marier avec lui, malgré notre désaccord. Je ne l'ai pas réprimandée, mais j'ai exprimé notre peine et notre crainte de la perdre. La preuve que Lauretta ne m'en veut pas, c'est qu'elle s'est collée contre moi durant tout le trajet du retour.

— C'est malheureux, mais elle finira par se calmer. Si elle ne descend pas pour le souper, je lui monterai un plateau. Je me demande s'il n'aurait pas été préférable de l'autoriser à aller enseigner au diable vauvert. Elle aurait échappé à ce gredin qui lui a volé son cœur.

— Il est trop tard, maintenant. Mais on en tire une bonne leçon : il faut laisser nos autres enfants suivre leur destin, quel qu'il soit. Avec Lauretta, nous avons payé le prix fort pour apprendre. Mais je jure que plus jamais je ne leur mettrai des bâtons dans les roues !

— Nous ne sommes coupables de rien, Dalma, fit Laura en retenant ses sanglots. Élever des enfants, ça ne vient pas avec un mode d'emploi. Chacun a son caractère et il faut composer avec l'inconnu. À partir de maintenant, nous laisserons nos enfants suivre leurs aspirations. Il faut leur faire confiance !

Le reste de la soirée fut triste pour Dalma et Laura. Ida était au couvent, et Guy au pensionnat. Françoise aurait bientôt dix ans et poursuivait son primaire avec brio. La petite ressentait la tristesse qui avait envahi la maison. Pendant que sa mère préparait un plateau pour Lauretta, elle offrit de l'apporter à sa grande sœur qu'elle aimait tellement. Quelques instants plus tard, Françoise cogna à la porte de la chambre de Lauretta. Elle n'obtint aucune réponse. Après avoir ouvert délicatement le battant, elle vit sa sœur étendue sur son lit. Elle déposa le plateau sur le bureau et alla caresser les cheveux de son aînée dans l'espoir de la réveiller doucement. Lauretta ouvrit les yeux et sourit à Françoise.

— Comment vas-tu, Lauretta ? s'informa la benjamine. Je t'ai apporté le plateau que maman a préparé pour toi. Est-ce que c'est ton amoureux qui t'a fait de la peine ?

— Oui, en quelque sorte. Mais en vieillissant, nous sommes tristes quand nous doutons de nous-mêmes, de nos choix. La vie n'est pas toujours un jardin de roses. Il ne faut pas oublier les épines sur les tiges.

— Dans ce cas-là, je n'aurai jamais d'amoureux. Je ne veux pas avoir mal !

— C'est l'apprentissage de la vie, ma belle! On n'est jamais sûr de rien… Heureusement que lorsqu'on tombe et qu'on se fait mal, ça finit presque toujours par guérir.

— Pourquoi tu ne changes pas d'amoureux? demanda naïvement Françoise.

— Parfois, c'est impossible parce qu'il est trop tard…

— Comment peut-il être trop tard pour faire ce qu'on veut dans la vie?

— Tu comprendras en vieillissant. Quand tu seras en âge de te marier, tu auras des choix à faire. Le problème, c'est qu'on ne peut pas savoir d'avance si on fait le bon choix.

— C'est très compliqué tout ça. Je sais que je ne me marierai jamais.

— Si ton cœur s'emballe pour un homme, tu souffriras comme toutes les femmes sur la terre. Tu souffriras en mettant au monde tes enfants, comme il est écrit dans la Bible: «Tu enfanteras dans la douleur.»

— Je ne veux pas d'enfants ni de mari! Moi, j'étudierai toute ma vie. De cette façon, je ne pourrai pas avoir d'enfants et je n'aurai pas le temps d'avoir un mari.

Françoise n'avait jamais vu ses parents se disputer, mais elle avait surpris des conversations qui laissaient entrevoir un certain désarroi. Ils souffraient pour leurs enfants. Elle se rappelait que sa mère avait pleuré quand Guy était tombé gravement malade, quelques années auparavant. Son père avait semblé très préoccupé pour la même raison – Françoise croyait que les hommes ne pleuraient jamais. Ce qu'elle ignorait encore, c'est que les hommes se cachaient pour laisser libre cours à leur peine.

Lauretta passa la semaine suivante à errer dans la maison. Parfois, elle s'habillait pour aller marcher sur la propriété ; elle revenait au bout d'une heure, les joues rougies par le froid. Elle avait hâte au printemps. L'hiver lui paraissait interminable, ce qui ne l'aidait pas à se relever du chagrin causé par Émile. Le dimanche, elle se rendit à la messe avec ses parents et Françoise. Quelle ne fut pas sa surprise d'apercevoir Émile installé dans un des bancs situés à l'arrière de l'église. Les Frégeau avaient un banc réservé près de l'autel, pas très loin des confessionnaux. À la fin de la messe, Émile avait disparu. Lauretta avait cru qu'il voulait lui parler, mais de toute évidence, ce n'était pas le cas.

Le mercredi suivant, Lauretta quitta la maison après le repas du midi. Elle alla à Frelighsburg pour son rendez-vous hebdomadaire avec Émile. Durant toute la matinée, elle avait hésité, ne sachant si c'était une bonne idée. Mais après le dîner, une pulsion incontrôlable l'avait poussée à mettre son manteau, ses bottes et ses gants pour aller prendre l'air. Il faisait beau, même si c'était frisquet.

Lauretta marchait tranquillement, même si son esprit hyperactif était dominé par l'image d'Émile. Elle s'en voulait de sa faiblesse, d'être incapable de résister à cet homme qui ne serait qu'une source de malheurs pour elle. Déjà, elle était torturée à la seule pensée de le revoir. Elle ressemblait à une fumeuse d'opium tentant de se sevrer – et son opium, c'était Émile. Quand elle vit au loin la camionnette de ce dernier, son cœur s'emplit de joie. Il tenait donc à elle puisqu'il était venu au rendez-vous. Toutefois, elle résolut de dissimuler son bonheur parce qu'elle voulait le gronder – à moins qu'il soit repentant.

— J'avais peur que tu ne viennes pas, dit Émile d'entrée de jeu.

— Je pense que tu mérites d'avoir des explications avant que nous rompions, répondit-elle.

— Je t'aime et je tiens à toi, Lauretta ! s'écria-t-il en saisissant sa main. J'vais arrêter mes folies, comme l'alcool et le trafic. Je te le jure.

— Je ne sais pas, Émile. Autant je t'aime, autant cet amour me fait souffrir. Je n'ai plus confiance en toi, et l'admiration que je te vouais n'est plus qu'un vague souvenir dans ma mémoire.

— Explique-moi ce que tu attends de moi et je t'obéirai. C'est difficile pour moi d'être aussi humble, mais j'suis prêt à tout pour te garder. Tu es la femme de ma vie et je ne peux pas m'imaginer vivre sans toi. Si tu me quittes, j'deviendrai une épave. J'finirai probablement en prison ou dans un fossé, abattu par la police ou des trafiquants.

— Ne dis pas ces choses-là ; tu me fais peur ! C'est beaucoup trop de pression pour moi. D'abord et avant tout, tu dois t'amender pour ton salut personnel. Et tu ne peux pas déverser tous tes problèmes sur mes épaules simplement parce que tu es incapable de t'en sortir seul.

— Je jure que si tu ne m'aides pas à passer à travers, j'suis un homme fini !

Émile prit les mains de Lauretta dans les siennes et les serra. Il était sincère, à ce moment-là. Il avait vraiment peur de la perdre, mais il avait vu une lueur d'espoir quand elle avait déclaré qu'elle souffrait en l'aimant. Ça signifiait donc qu'elle l'aimait envers et contre tout. Il se raccrochait à ces mots comme à une bouée. Le regard d'Émile se fit suppliant. Lauretta plongea ses yeux dans les siens pour y trouver la vérité. Le jeune homme la sentit fléchir. Quand il vit une larme couler sur la joue de Lauretta, Émile sut qu'il avait gagné la partie. Il se promit de se corriger de tous ses défauts. Mais s'il cessait de trafiquer, comment ferait-il pour joindre les deux bouts ? Toutefois, sa plus grosse dépense, c'était l'alcool consommé dans les bars. Aimé, son frère, économisait beaucoup en fabriquant son vin lui-même. C'était de la piquette, mais c'était mieux que rien. *Non!* se morigéna-t-il intérieurement. *Je dois cesser de boire ; sinon, je perdrai Lauretta.*

Émile se pencha pour essuyer la larme de Lauretta avec ses lèvres. Il l'enlaça tout en cherchant à l'embrasser passionnément. Lauretta laissa Émile l'envahir complètement. Il y avait un côté rassurant dans le fait de se sentir aimée autant qu'Émile la chérissait. Il était le seul homme qui l'avait possédée – et qui la possèderait à jamais.

— Je veux bien te pardonner, Émile, mais il faut que tu te montres honnête avec moi. Je ne pourrais pas accepter que tu continues à magouiller. Imagine que tu te retrouves en prison. Mes parents ne te le pardonneraient jamais !

— Je t'ai promis de changer et j'tiendrai parole, déclara Émile, qui avait de la difficulté à se contenir.

Il se foutait complètement de ses futurs beaux-parents. Tout ce qu'il voulait, c'est que les Frégeau lui permettent d'épouser leur fille.

— Embrasse-moi, lui ordonna Lauretta. Ensuite, je retournerai chez moi, car j'ai beaucoup d'ordre à mettre dans ma tête.

— Tu ne viens pas chez moi ?

— Je n'ai pas la tête à faire l'amour, aujourd'hui.

— Notre entente ne tient plus ?

— Je suis menstruée, indiqua Lauretta.

— Ah bon ! J'suis très débiné…

— Est-ce que c'est seulement pour faire l'amour que tu veux me voir le mercredi après-midi ? Dis-le-moi franchement.

Émile ne répondit pas, car il ne savait pas quoi dire.

— Tu ne réponds pas ? lui demanda Lauretta.

— Veux-tu que j'te ramène chez toi ?

— Non. J'ai besoin de marcher pour réfléchir à nous deux.

— Je croyais que tout était réglé entre nous ?

— Laisse-moi réfléchir, s'il te plaît, Émile ! Il n'y a rien de changé entre nous, si tu veux tout savoir.

Lauretta sortit de la camionnette et prit la direction de la maison. La promenade lui ferait du bien. Le printemps renaissait enfin. Le soleil était chaud quand le vent tombait. Elle était vraiment perturbée par les réponses d'Émile. Il passait de la supplication à la déception, en adoptant un ton un peu cinglant. Elle ne comprenait pas son aigreur, mais peut-être était-ce sa vraie nature ? Elle n'avait jamais beaucoup parlé avec lui ; il n'était pas le type d'homme qui discourait, même pour se vanter de ses réalisations pourtant dignes de mention. Elle s'était laissée entraîner dans un tourbillon de sensualité, puis elle lui avait donné sa virginité. Lauretta ne se reconnaissait plus, elle qui avait toujours été si sage. Pourquoi son corps avait-il pris le dessus sur son intelligence ? Pourquoi ses hormones la dominaient-elles ? Les autres femmes vivaient-elles une crise de ce genre ?

Émile vivait aussi dans l'incertitude. Lauretta souhaitait-elle toujours l'épouser ? Il devait fixer une date pour le mariage le plus rapidement possible. Ses futurs beaux-parents étaient contre cette union, alors s'il fallait que Lauretta se mette à douter à son tour, ses parents pourraient facilement la persuader de rompre avec lui. Il devait la convaincre qu'elle serait heureuse sur sa terre, qu'il travaillerait avec acharnement et ferveur pour leur permettre de fonder une famille. Émile avait réussi à mettre de l'argent de côté grâce à ses activités illicites, mais son magot était modeste et ne durerait guère plus d'un an – en faisant attention. Il ne pouvait pas espérer grand-chose comme dot puisque les Frégeau désapprouvaient son union avec Lauretta. Émile décida d'aller demander conseil à son frère.

— Salut, Aimé ! Comment ça va sur ta nouvelle terre ?

— Ça va dépendre de ma production de sirop d'érable. Si j'ai une bonne coulée, ça devrait être pas mal. Mais il n'y aura pas de folies à faire ! Je viens de m'établir, donc j'ai une hypothèque à rembourser. Heureusement que ma femme est très vaillante. Je pense bien que tous les deux, on devrait réussir à tirer notre épingle du jeu – si le bon Dieu est de notre bord.

— Moi, j'veux marier Lauretta le plus tôt possible. Mais j'me demande si j'pourrais vivre de mon labeur parce que j'ignore en quoi ma promise pourrait m'aider.

— Son père est maraîcher, non ? demanda Aimé.

— Oui. Il est maraîcher, pomiculteur et même éleveur de bétail, mais moi, j'fais rien de tout ça ! J'sais même pas si Lauretta connaît quoi que ce soit dans ces domaines, à part la cueillette des pommes, répliqua Émile.

— Une de tes prairies pourrait être transformée en un très grand jardin, si tu voulais. C'est là que je cultivais les légumes quand je m'occupais de ta terre. Il suffirait de bien engraisser le sol et de labourer plus en profondeur. Tu vas lever de la roche, mais ça, tu le sais déjà…

— J'veux pas devenir maraîcher, mais avoir un jardin assez grand pour nourrir une famille, c'est tout. J'veux rester dans la vache laitière et avoir quelques cochons et un poulailler, comme papa dans le temps.

— Qu'est-ce que tu attends de moi au juste, Émile ? Tu repousses toutes mes suggestions. Si tu fais un grand jardin, tu pourrais vendre le surplus au marché ou acheter d'autres vaches. Tu pourrais aussi augmenter le nombre de portées de cochons.

— T'as ben raison ! Mais il faut que je réfléchisse parce que j'suis mêlé dans ma tête. J'ai tellement travaillé sur cette maudite terre que j'sais même plus si j'ai encore le goût d'être cultivateur.

— En as-tu parlé avec Lauretta ?

— Es-tu fou ? s'écria Émile. La ferme, c'est la seule chose qui me donne un peu de valeur aux yeux de sa famille. Il faut que j'reste un propriétaire terrien, si j'veux la marier.

— Tu vas faire la même erreur que papa : te vas épouser une femme d'une classe sociale supérieure.

— C'est pas la même chose, voyons ! Le père Frégeau n'est pas aussi riche que le grand-père Lemaire. Mais c'est vrai que la famille Frégeau est un peu collet monté, comme maman !

— C'est à toi de décider si tu aimes assez Lauretta pour la marier, mais il n'y a pas que l'amour qui compte. Elle et toi, avez-vous des caractères compatibles ou bien serez-vous toujours en chicane en dehors de la couchette ?

— C'est une maudite bonne question, Aimé ! C'est la première fois que j'connais une femme qui m'intéresse assez pour avoir envie de la marier. J'vais avoir trente ans bientôt, mais Lauretta, elle a juste vingt ans.

— Je ne pensais pas qu'elle était si jeune.

— Ben oui ! J'aurais pu avoir de gros problèmes parce qu'elle est mineure. Mais j'ai rencontré ses parents pas longtemps après.

— Après quoi, Émile ?

— C'est pas de tes affaires !

— C'est parce que tu as couché avec elle que tu dis ça ?

— Ça me tente pas de te raconter ma vie.

— Dans ce cas-là, arrange-toi donc avec tes problèmes. Et ne viens plus m'achaler avec tes magouilles!

— Pourquoi tu mets sur le tapis mes trafics alors que je te parle de Lauretta?

— Des rumeurs courent dans le village. Tu es chanceux que ta promise habite à Frelighsburg; comme ça, il y a moins de chances qu'elle entende ce qu'on raconte à ton sujet. Si j'étais son père, je me renseignerais sur ton compte. Et vu que M. Frégeau a de l'argent, il a les moyens de tout savoir. Si j'étais toi, je me dépêcherais de me marier avant que tout se sache, lui fit remarquer Aimé.

— J'pense que tu m'as assez insulté pour aujourd'hui. Tu recevras peut-être une invitation à mon mariage.

— Je ne suis pas sûr que je veux y aller! répondit Aimé sur un ton irrité.

Émile retourna chez lui. Depuis qu'il était censé s'occuper à nouveau de sa ferme, il négligeait celle-ci. Quand il passait l'après-midi avec Lauretta, il ne travaillait pas; et quand il trafiquait la nuit, il devait dormir durant la journée. En plus, il prenait toujours une cuite en revenant de ses expéditions illégales. Mais maintenant, il devait mettre de l'ordre dans sa vie afin de faire cesser les commérages sur son compte. Les propos de son frère l'avaient ébranlé. *Si j'ai perdu le respect d'Aimé, c'est que les choses vont plus mal que je le pensais,* songea-t-il. Il était décidé à s'amender à partir de maintenant.

Chapitre 16

Émile s'était repris en main : il travaillait fort, il avait cessé de boire et, surtout, il avait renoncé à ses trafics d'alcool et de Chinois. Il était redevenu l'homme dont Lauretta était tombée amoureuse. Émile avait hâte au mercredi suivant pour revoir sa bien-aimée et lui demander sa main. Si elle acceptait, il la demanderait officiellement en mariage à son paternel. Il savait que Dalma Frégeau ne lui donnerait pas sa fille de gaieté de cœur, mais qu'il respecterait la volonté de Lauretta si elle désirait Émile Robichaud comme époux.

La journée tant attendue arriva enfin. Lauretta vint au rendez-vous tacite. Quand elle monta à bord de la camionnette, elle constata qu'Émile semblait heureux de la voir. Il lui prit les mains et la remercia d'être là.

— Lauretta, j'ai compris que tu étais la personne la plus importante de ma vie. J'ai arrêté de boire et de trafiquer, et j'travaille fort à la ferme. Ma propriété n'est rien comparativement à celle de ton père, mais j'ferai le maximum pour te rendre heureuse si tu acceptes de m'épouser.

— Tu n'y vas pas par quatre chemins ! Je suis contente que tu te sois décidé à mener une vie de bon chrétien. Moi aussi, j'ai une nouvelle à t'annoncer : j'ai l'intention de rester chaste jusqu'à notre mariage. Si cela ne change rien à ton intention de m'épouser, je te marierai après que nous aurons respecté le délai prescrit selon les rites de l'Église catholique.

— J'suis très content, Lauretta. Dimanche prochain, j'demanderai ta main à ton père. À moins que tu n'aies décidé autrement ?

— Non. J'ai réfléchi et je suis d'accord pour t'épouser, mais le délai minimal pour la publication des bans est de six semaines.

— Ça nous mènera en mai, ce qui est parfait.

— Je ne veux pas d'une grosse noce en blanc. Je me sentirais hypocrite, et je refuse de vivre dans le mensonge.

— J'espère que tu n'as pas l'intention d'avouer à tes parents que j'ai pris ta virginité ?

— Je dirai simplement que je trouve illogique de dépenser beaucoup d'argent pour une robe que je porterai une seule fois. Mais, tu sais, j'ignore si mon père t'offrira une dot.

— C'est pas important parce que je sais déjà qu'on m'apprécie pas trop dans ta famille !

— Ne dis pas ça. Je suis certaine que mes parents apprendront à t'aimer quand ils verront combien tu me rends heureuse.

— J'suis prêt à te croire, mais le plus important, c'est que tu me maries même si tes parents ne m'aiment pas !

Le dimanche suivant, pendant le déjeuner, Lauretta prévint ses parents qu'Émile ferait sa demande officielle ce jour-là, après la messe. Ils tentèrent encore de la dissuader, mais rien n'y fit.

Un peu plus tard, Dalma et Laura s'habillaient dans leur chambre quand celle-ci déclara :

— Notre fille aime les mauvais garçons, c'est plus fort qu'elle ! Qu'y pouvons-nous Dalma ? Après tout, c'est elle qui souffrira le plus…

— Ne sois pas si radicale, Laura ! s'exclama son mari. Quoi que Lauretta fasse, je serai toujours prêt à l'aider si elle a besoin de moi.

— Tu crois qu'il viendra à la maison aujourd'hui ? J'espère qu'il aura la décence d'arriver après le dîner.

— Je t'en prie, Laura ! Cesse de traiter Émile en ennemi. Il sera l'époux de notre fille aînée et le père de nos premiers petits-enfants. Si tu ne changes pas d'attitude, nous risquons de perdre le contact avec notre fille et ses enfants.

— Tu as raison, mais tu ne peux pas m'obliger à l'aimer.

— Je n'en demande pas tant. Mais je souhaiterais que tu sois courtoise avec lui. C'est une question de bienséance, ma chérie. Et pour ce qui est du dîner… Il ne peut quand même pas retourner à Stanbridge East et revenir ensuite ? Pendant le repas, tu pourrais en profiter pour étudier Émile. Sous la carapace de ce dernier, tu découvrirais peut-être quelqu'un de charmant, qui sait?

De son côté, Lauretta se préparait pour la messe, le cœur joyeux. Elle craignait toujours que sa mère dise des insanités en présence d'Émile, mais la jeune femme était prête à prendre le risque. Ce dernier savait que la famille Frégeau ne l'aimait pas, mais il était courageux et prêt à affronter les foudres parentales. Si Dalma le confrontait en lui disant qu'il buvait trop et qu'il avait mauvaise réputation dans la région, Émile lui jurerait qu'il s'était amendé. Par contre, si son futur beau-père avait appris qu'il se bagarrait souvent et qu'il vivait du trafic d'alcool – grâce à la prohibition américaine, qui était toujours en vigueur – et qu'il faisait passer des Chinois sur le lac Champlain, Émile nierait tout en bloc. On n'oserait quand même pas faire son procès sur des ouï-dire…

Quand Émile vit arriver la famille Frégeau à l'église, il attendit patiemment Lauretta dans le portique – comme il avait été convenu. Il était un peu nerveux quand sa future belle-mère s'approcha, l'air hautain, mais il se calma après avoir repéré Lauretta juste derrière elle. Dalma le salua et lui serra la main, ce qui rasséréna Émile. Il savait d'ores et déjà que Dalma ne ferait pas son procès ce jour-là, mais il n'était pas rassuré par l'attitude de Laura, qui ne le regarda même pas. Cela l'inquiéta. Pour sa part, Françoise l'étudiait avec la curiosité d'une gamine qui n'avait pas d'idées préconçues. Lauretta prit Émile par la main et l'entraîna jusqu'au banc des Frégeau.

Tous ensemble, ils se recueillirent en écoutant le curé réciter la messe, prononcer le sermon et inciter les paroissiens à communier. Finalement, l'homme d'Église prononça l'*Ite missa est* et tout fut terminé. Lauretta reprit la main d'Émile et descendit fièrement l'allée jusqu'à la sortie.

— Viens dîner à la maison et ensuite tu feras ta demande, lui indiqua Lauretta. Qu'en penses-tu ?

— Si c'est prévu comme ça, pourquoi pas ! Tu fais le trajet avec moi ?

— Est-ce qu'on peut emmener Françoise avec nous ? Elle n'est jamais montée à bord d'un véhicule à moteur. Ça lui ferait tellement plaisir.

— C'est d'accord, accepta Émile. On se collera un peu plus !

Même si Émile roula doucement, il arriva bien avant Dalma et sa carriole. Il n'osa pas entrer dans la maison avant ses hôtes, même si Lauretta insista. Il voulait aider Dalma à dételer ses chevaux ; il préférait attendre sur la galerie pour profiter de l'air printanier. La nature reprenait ses droits après avoir passé six mois sous un lourd manteau de neige. Elle semblait vouloir exploser après son long sommeil, fit remarquer Émile à sa bien-aimée. Il pensa à son frère Aimé ; ce dernier devait être très occupé, car il devait recueillir la sève des érables qu'il avait entaillés et la bouillir. Il se demandait si Lauretta prendrait plaisir à l'aider dans cette opération qu'elle ne connaissait pas. Ils pourraient aller faire un tour à l'érablière après le dîner, si sa demande en mariage était bien accueillie par la famille Frégeau.

— Lauretta, est-ce que ça te plairait d'aller aider mon frère à sa cabane à sucre ? Pour lui, c'est très important de récolter une bonne production de sirop cette année. Avec ce chaud soleil, les chaudières débordent probablement.

— Oui, j'aimerais ça. Est-ce qu'on aura besoin de raquettes ? J'imagine qu'il y a encore beaucoup de neige dans les bois ?

— C'est une très bonne idée, si tu en as une paire, répondit Émile.

— Est-ce que je pourrais vous accompagner ? s'enquit Françoise. Je n'ai jamais vu une cabane à sucre.

— Si papa et maman sont d'accord, bien sûr. Qu'est-ce que tu en penses, Émile ?

— J'suis certain qu'Aimé appréciera toute l'aide reçue !

— Tu demanderas à papa, Françoise, reprit Lauretta. S'il accepte, tu seras la bienvenue, petite sœur !

La carriole des parents emprunta l'allée. Une fois devant la maison, Dalma descendit et aida sa femme à quitter la carriole. Il remonta dans celle-ci et se dirigea vers l'écurie. Dalma fut agréablement surpris de voir Émile le suivre. Lorsque ce dernier l'aida à dételer les chevaux, il constata que son futur gendre était un homme qui savait les soins à donner aux chevaux. Émile déposa des couvertures sur le dos des bêtes et leur servit une portion d'avoine pendant que son futur beau-père rangeait sa carriole.

— Je vois que tu t'y connais en chevaux, Émile. Je croyais que tu ne t'intéressais qu'aux engins à moteur?

— Détrompez-vous, monsieur Frégeau! J'possède encore des chevaux de trait pour les labours et pour plusieurs autres travaux où le cheval est plus pratique que ma camionnette. Mais j'aimerais beaucoup acheter un tracteur. Par contre, pour les déplacements sur les routes, j'trouve que ma camionnette est plus utile.

— Il faudrait bien que je fasse la transition, moi aussi. Mais voyager en carriole me plaît parce que cela me permet de réfléchir entre deux périples.

— Quand vous serez plus vieux, vous apprécierez l'automobile pour sa simplicité. Vous n'aurez qu'à tourner une manivelle pour la faire démarrer, et vous la nourrirez d'essence plutôt que d'avoine!

— Un jour, j'essayerai ça! Le docteur possède une automobile, et il ne pourrait plus s'en passer. Je connais aussi quelques autres notables qui en ont une.

— Quand vous voudrez essayer de conduire, vous n'aurez qu'à me le dire. J'vous expliquerai le fonctionnement de ces engins. Rien de plus simple!

— Merci de ton offre, Émile. Je ne dis pas non !

— En automobile, on va au moins quatre ou cinq fois plus vite qu'avec des chevaux. Vous pouvez circuler à quarante ou cinquante milles à l'heure, si vous êtes pressé.

— Je suis rarement aussi pressé ! Allons à la maison, maintenant ; un bon dîner nous y attend.

— J'sais que dans l'écurie, c'est pas le meilleur lieu pour vous demander ça, mais m'accordez-vous la main de votre fille ?

— En effet, ce n'est pas l'endroit idéal. Toutefois, sache que je respecterai la volonté de ma fille. Si elle veut t'épouser, je ne m'y opposerai pas. Mais procédons devant témoins, veux-tu ?

Émile était moins fébrile quand il entra dans la maison. Les femmes déposaient les plats sur la table. Lauretta assigna une place à Émile à ses côtés. Françoise s'assit en face du couple et les parents présidèrent à chaque bout de la table. Quand tout le monde fut installé, Lauretta tapa sur le genou d'Émile, d'après le signal convenu entre eux.

— Monsieur Frégeau, vous connaissez la raison de ma présence chez vous, dit Émile nerveusement. J'veux vous demander la main de votre fille.

— Si la principale intéressée est toujours d'accord pour t'épouser, je le suis aussi ! répondit Dalma.

— Oui, je le veux toujours, papa, confirma Lauretta. Émile et moi voudrions nous marier le plus tôt possible, c'est-à-dire six semaines après la publication des bans. La noce aura lieu dans la plus stricte intimité.

— Mais pourquoi une telle hâte? s'étonna Laura.

— Ne t'inquiète pas, maman, je ne suis pas enceinte! La raison principale, c'est que nous voulons faire un grand potager, dont je serai responsable. Je veux également avoir le temps de m'installer confortablement chez Émile avant d'entreprendre toutes mes tâches là-bas.

— Qu'est-ce que tu connais dans les potagers? rétorqua sa mère.

— Pas grand-chose, mais Émile pourra m'aider. Et puis, ce n'est pas si sorcier, après tout. J'en ai assez de l'oisiveté! Travailler me fera le plus grand bien.

— Est-ce que votre maison est digne de recevoir ma fille, Émile? questionna Laura.

— Ma maison est modeste, comparativement à la vôtre, formula Émile. Mais elle est suffisamment grande et chaude pour y élever une famille. Cette terre m'appartient; je l'ai payée à la sueur de mon front, madame! Tout ce qui lui manque, c'est la présence d'une femme pour la rendre agréable et jolie. Mais j'ai confiance que votre fille saura créer un foyer où il fera bon vivre, termina-t-il, surpris par sa propre verve.

— On pourrait peut-être fêter ça en ouvrant une bouteille de cidre ? suggéra Dalma.

— Rien ne vous en empêche, monsieur Frégeau. Mais j'ai promis à votre fille de ne plus boire et j'tiendrai parole !

— C'est tout à ton honneur, mon cher Émile. Dans ce cas, je m'abstiendrai, moi aussi.

L'affaire était classée, pour le plus grand bonheur des deux tourtereaux – même s'ils savaient que la mère de Lauretta était loin d'être enchantée par ce mariage. Laura aurait bien aimé visiter l'antre du loup avant que sa fille s'y installe, mais elle ne tenait pas à semer la pagaille aujourd'hui. Elle proposerait son aide à Lauretta pour aménager l'endroit, mais elle connaissait suffisamment sa fille pour savoir qu'une fin de non-recevoir l'attendait. *Elle refusera mon aide afin de s'attribuer tout le mérite,* pensa Laura de façon erronée.

— Oh ! j'oubliais ! émit Lauretta. Cet après-midi, Émile et moi irons aider son frère Aimé à ramasser de l'eau d'érable. Françoise a exprimé le désir de nous accompagner.

— Dis oui, maman ! supplia Françoise. Je n'ai jamais vu une cabane à sucre, et je pourrais aider, moi aussi !

— Si ton père est d'accord, tu peux y aller.

— Il n'y a aucun danger à charrier de l'eau, encore moins si elle porte des raquettes, fit Dalma. Vas-y, petite, mais attention de ne pas te brûler si tu t'approches des pannes ! Émile et Lauretta, vous la surveillerez, n'est-ce pas ?

— N'ayez aucune crainte, monsieur Frégeau, dit Émile. Je vais la surveiller de près, même s'il n'y a aucun risque.

Un peu plus tard, Françoise, Lauretta et Émile montèrent dans la camionnette de ce dernier. Émile affichait un sourire resplendissant et se montrait amical avec Françoise. Il ressentait un grand soulagement, car il s'était attendu à plus de résistance de la part des parents de Lauretta. Réjoui, il songea à son mariage avec sa bien-aimée. Il avait hâte d'annoncer la nouvelle à son frère.

— Salut, Aimé ! dit-il en arrivant chez celui-ci. J'amène des renforts pour la cueillette de l'eau. Voici, Françoise, la p'tite sœur de Lauretta, et je te présente Lauretta. T'es mieux d'astiquer tes chaussures, mon frère, parce qu'on se mariera dans six semaines. On a ben hâte ! Pas vrai, Lauretta ?

— Tout à fait ! Et je suis impatiente de m'attaquer au jardin. Dès que je serai installée dans la maison, je ferai un potager.

— Si tu veux, je t'aiderai à nettoyer la maison et à confectionner des rideaux, proposa la femme d'Aimé. Ceux qu'il y a là-bas sont vieux comme la terre…

— C'est très gentil de ta part, Armande, répondit Lauretta. J'accepte volontiers ta proposition !

Les six semaines précédant le mariage filèrent à toute allure. Pendant ce temps, Lauretta nettoya la maison d'Émile. L'étage était très poussiéreux, car il était inoccupé depuis plus de dix ans. Une fois le ménage terminé, Lauretta apporta son trousseau, sa machine à coudre ainsi que plusieurs objets pour égayer son futur foyer. Elle confectionna des rideaux pour toutes les fenêtres de la demeure. Puis, le modeste mariage fut célébré. Le dîner eut lieu chez les Frégeau. Seules les familles immédiates des nouveaux époux et les deux meilleures amies de Lauretta y assistèrent. Les mariés ne firent pas de voyage de noces. Il n'y eut qu'une vague promesse de voyage, mais celui-ci n'eut jamais lieu.

Chapitre 17

Le couple s'attela rapidement à la tâche ; il y avait tant à faire. La seule consolation de la somme d'efforts déployés par Lauretta et Émile était quand ils se retrouvaient le soir dans leur lit. Émile avait toujours suffisamment d'énergie pour satisfaire sa femme. C'était leur lune de miel, et les nouveaux mariés ne se lassaient pas de se caresser.

Peu de temps après le mariage, la lune de miel prit fin abruptement. Un soir, Émile oublia de rentrer ; il se pointa le lendemain matin, encore ivre de la veille. Il partait souvent en fin de journée, mais il revenait toujours sobre avant que Lauretta se couche. Il ne parlait jamais du but de ses absences répétées, mais elle se doutait qu'il s'agissait d'activités clandestines.

Dès qu'elle vit son mari, Lauretta l'apostropha :

— Où es-tu allé comme ça, au point d'oublier ta femme ? De plus, tu empestes l'alcool et le parfum de catin ! Tu m'as trompée ?

— J'te jure que non. Mais c'est vrai que j'ai bu ; j'en avais besoin…

— Tu en avais besoin ? riposta Lauretta. Pour quelle raison ? Pour te donner du courage ? Je te croyais plus fort ! Je suis très déçue. J'ai bien envie d'aller séjourner chez mes parents le temps que tu réfléchisses à notre avenir… si avenir il y a.

— Tu peux pas faire ça ! Qu'est-ce que tes parents vont dire si tu vas te réfugier chez eux ?

— Tu aurais dû y penser avant, Émile. Chez mes parents, j'en profiterais pour me reposer et pour réfléchir. Je me demande si ça vaut la peine de travailler autant ; je me sens comme une bête de somme. Et quand je songe au respect que tu me témoignes en retour de mes efforts, ça ne me donne pas le goût de m'éterniser ici.

— Tu peux pas partir comme ça. Pis, j'irai certainement pas te reconduire chez tes parents !

— Penses-tu que c'est suffisant pour me retenir, Émile ? Tu sais pourtant que je suis une excellente marcheuse et que la distance à parcourir jusque chez mes parents ne me fait pas peur. Et je suis sûre que des passants m'offriront de monter avec eux.

— Qu'est-ce qu'il faudrait que j'fasse pour que tu restes ? la supplia Émile.

— Je ne sais pas trop comment tu pourrais me faire changer d'idée. Tu m'avais promis de ne plus boire, mais aussitôt que j'ai le dos tourné, tu recommences.

— C'est la première fois que j'manque à ma parole. C'est parce que j'étais trop nerveux…

— Qu'est-ce qui te rend si nerveux ? Tes satanés trafics, je suppose…

— Je peux pas t'en parler, mais ça ne concerne pas l'alcool.

— C'est donc vrai cette histoire de Chinois ?

— On leur rend service en leur faisant passer la frontière américaine ! plaida Émile.

— Tu t'es soûlé parce que tu n'as plus les nerfs pour faire ce trafic ?

— On a failli se faire prendre, alors on a dû jeter les barils par-dessus bord. Heureusement, on a tous pu les récupérer. J'suis pas un assassin, baptême !

— Si tu me promets que tout ça est terminé pour toi, je vais rester. Mais ce soir, et jusqu'à nouvel ordre, tu couches dans la chambre d'amis.

Sur ce, Lauretta retourna dans son potager. Celui-ci avait fière allure ; il commençait à produire de la laitue et des radis, et tout le reste croissait bien. Tout en désherbant, la jeune femme pleurait de rage. Elle s'en voulait d'être aussi lâche qu'Émile. Ce dernier resta tranquille pendant un bon moment. Il se montra même avenant, alors il put partager à nouveau le lit de sa femme. Lauretta tomba enceinte. Tout allait bien et Émile était fou de joie. Il espérait que sa femme lui donnerait un fils. Mais le malheur vint frapper à sa porte, encore une fois…

Chapitre 18

Lauretta avait cru que lorsqu'elle serait enceinte, Émile cesserait ses activités illégales et se consacrerait à la ferme – que, selon elle, il négligeait. Sur ce dernier point, elle n'avait pas entièrement raison ; Émile faisait des efforts pour bien soigner ses animaux. Son mari ne manquait jamais d'argent, mais Lauretta savait que c'était de l'argent sale qui les faisait vivre. Malheureusement, sa grossesse – qui donnait tant d'espoir à Émile – ne se rendit pas à terme. Après avoir appris que Lauretta avait fait une fausse couche, Émile disparut pendant quelques jours. Aimé vint faire le train et Armande, sa femme, s'occupa de Lauretta. Cette dernière faisait tellement pitié que sa belle-sœur resta avec elle jour et nuit jusqu'au retour d'Émile.

Lauretta n'avait pas le moyen de joindre ses parents – dans les zones rurales, le téléphone n'avait pas encore été installé. De toute façon, elle ne voulait pas les inquiéter, car ils auraient insisté pour qu'elle mette fin à son mariage. La réaction d'Émile était impardonnable, mais Lauretta supportait bravement l'adversité. Elle se sentait coupable de ne pas avoir rendu à terme sa grossesse. Finalement, Émile revint, l'air piteux et avec une gueule de bois. Il avait honte de sa lâcheté.

— Je m'excuse, dit-il. J'ai craqué à cause de ta fausse couche et j'ai pris un coup, même si je t'avais promis de plus boire.

— Mais tu es parti trois jours…, se plaignit Lauretta.

— J'ai bu pendant tout ce temps-là…

— Tu m'as laissée seule pendant trois jours, et c'est tout ce que tu trouves à dire ? J'aurais pu mourir, Émile !

— J'savais qu'Aimé serait là. Et j'savais aussi que lorsqu'il verrait que j'allais pas le rejoindre dans la grange, il viendrait voir ce qui se passait dans la maison.

— Tu es un irresponsable, Émile ! Maintenant, je me rends compte de mon erreur. Je vais aller me reposer chez mes parents.

— Calme-toi ! J'suis revenu, pis la femme d'Aimé est là pour t'aider. J'veux pas que tu ailles te plaindre à tes parents ; ils me haïssent déjà bien assez !

— Si tu te comportais de façon convenable, tu craindrais moins mes parents.

— J'te promets que les folies, c'est fini pour moi. On oublie tout ça, veux-tu ?

— Je dois réfléchir.

Le quotidien reprit le dessus. Émile était un bourreau de travail, tout comme son père. Depuis qu'il était tout jeune, récolter le blé, l'avoine et le foin pour les bêtes, c'était sa vie. Tout comme labourer, érocher, monter un muret tout le tour de la terre, épandre le fumier, faire le train matin et soir

– tout ça, en mangeant en vitesse –, et finalement, se coucher fourbu. Émile savait que la tâche était trop lourde pour un seul homme, mais il ne pouvait pas arrêter. Quand son père était mort dans un champ, subitement, sans avoir le temps de dire adieu à personne, Émile s'était fait une promesse. Il se rappelait que, ce jour-là, Arthur s'était levé de mauvais poil – comme cela lui arrivait si souvent, les derniers temps. Même si son père s'était toujours montré extrêmement dur avec lui dès qu'il avait été capable de courir et d'aller à l'école, Émile l'avait toujours aimé. Arthur lui avait souvent répété qu'il était sa relève, comme s'il savait qu'il mourrait jeune. Mais contrairement à son père, Émile ne voulait pas faire souffrir sa femme comme Arthur avait fait souffrir Eugénie pendant plus d'une décennie.

Lauretta s'interrogeait : pourquoi n'avait-elle pas mené à terme sa grossesse ? Elle décida de consulter le médecin.

— Bonjour, docteur !

— Bonjour, madame Robichaud. Que puis-je pour vous ?

— J'ai fait une fausse couche. D'après mes calculs, le fœtus avait trois mois. Je ne comprends pas ce qui s'est passé.

— Avez-vous eu des symptômes avant l'avortement naturel ?

— J'ai ressenti une tension dans mes seins et un fréquent besoin d'uriner lorsque je travaillais dans le jardin.

— Quand avez-vous eu ces symptômes la première fois, madame ?

— Il y a deux semaines, soit une semaine avant la fausse couche.

— Pourquoi avez-vous attendu avant de venir me voir ?

— Je ne pensais pas que c'était nécessaire, docteur. Mais je veux savoir pourquoi j'ai perdu mon bébé.

— Déshabillez-vous, je vais vous examiner. Tout d'abord, j'aimerais savoir quelles sont l'intensité et la durée de votre travail physique.

— J'accomplis les activités normales d'une femme de maison qui vit sur une ferme et qui cultive un grand jardin. Mais je ne m'occupe pas des vaches et des porcs.

— Vous travaillez beaucoup dans le potager ?

— Tous les jours, car c'est ma responsabilité.

— Vous désherbez ?

— Bien sûr ! Je veux un beau jardin bien propre.

— Vous vous pliez ou vous vous mettez à genoux pour désherber ?

— Mon jardin est très grand, alors je change de position quand je suis fatiguée. L'entretien du potager exige beaucoup de travail. Mais je ne veux pas me plaindre...

— J'ai ma réponse, madame! Je voudrais vous examiner quand même pour m'assurer que tout est revenu à la normale.

Après l'examen, le médecin expliqua à Lauretta la cause probable de sa fausse couche.

— Je crois, madame Robichaud, que vous avez eu ce qu'on appelle une «béance de l'ouverture du col de l'utérus». La position adoptée pendant vos travaux de jardinage peut avoir provoqué la dilatation du col, surtout si vous passez beaucoup de temps dans votre potager. Ce problème est fréquent, mais je vous conseille quand même de réduire vos heures de travail afin d'éviter que cela se reproduise.

— Je comprends, docteur, mais le travail doit se faire malgré tout!

— Vous ne pouvez pas avoir de l'aide?

— Nous ne sommes que tous les deux, mon mari et moi. Émile travaille aux champs et il fait le train, matin et soir. Je ne peux pas lui en demander plus.

— Peut-être que vos ambitions sont trop grandes? De toute façon, venez me voir la prochaine fois que vous serez enceinte. On pourrait recourir à un cerclage, qui est une simple intervention.

— Merci docteur. Je reviendrai vous voir, c'est certain.

— Évitez le surmenage, madame, et tout devrait bien se passer.

— Je vais suivre vos conseils, docteur. Merci encore et bonne journée !

Lauretta avait caché au médecin que son mari, depuis la fausse couche, avait pris l'habitude de disparaître régulièrement quelques jours, abandonnant femme et animaux. Chaque fois, Aimé et Armande venaient à la rescousse. Lauretta souffrait de la perte de son bébé, mais aussi de l'incapacité d'Émile à affronter la réalité – si cruelle soit-elle. Il se réfugiait dans le silence et la culpabilité et croyait que les malheurs qui les accablaient, lui et sa femme, étaient sa faute. Pour oublier sa peine et ses responsabilités, Émile se soûlait pendant deux ou trois jours. Chaque fois, il se terrait dans un hôtel malfamé de Farnham.

— Encore une rechute, Émile ? lui demandait Lauretta, les yeux pleins de larmes.

— Ben oui ! Et j'suis désolé, mais j'sais que tu me croiras pas.

— Que je te croie ou non n'y changera rien ! J'ai envie de mourir tellement je suis déçue par la vie que tu me fais endurer.

Après les retours d'Émile, le couple allait cahin-caha, s'oubliant dans le travail jusqu'à ce que l'harmonie revienne tranquillement. Les problèmes de Lauretta étaient multiples. Elle travaillait trop fort, s'occupant de l'immense jardin, de l'entretien de la maison et de la cuisine. Mais ce qui dominait ses pensées, c'était la certitude qu'elle avait fait le mauvais choix en épousant Émile. Elle l'aimait malgré tout, mais était-ce suffisant pour rester liée à lui pour la vie et pour lui donner une famille? Elle aurait pu retourner chez ses parents et reconnaître son erreur, mais son orgueil l'en empêchait. Lauretta savait qu'elle n'était pas au bout de ses peines avec un mari comme Émile.

Lauretta fit trois fausses couches en moins de deux ans. Puis, finalement, elle mena à terme une grossesse.

Chapitre 19

Le 12 avril 1930, Lauretta accoucha de sa fille Monique. Émile ne réussit pas à cacher sa déception. Il avait rêvé d'un fils qui pourrait prendre la relève. Il avait déjà trente-trois ans, et Lauretta, presque vingt-trois ans. La désillusion de cette dernière était totale. Il n'y avait plus aucun doute dans son esprit : elle n'aurait jamais dû épouser Émile Robichaud. Toutefois, elle supporterait son calvaire courageusement.

— Je comprends ta déception, Émile, toi qui souhaitais tant la venue d'un fils. Mais Monique est ta fille, et tu dois l'aimer quand même.

— J'suis déçu parce que le rêve de tout homme est d'avoir un fils pour prendre sa relève. J'pense que le bon Dieu a voulu me punir.

— Veux-tu bien arrêter avec tes sornettes superstitieuses ! Au lieu d'apprécier l'arrivée d'une belle petite fille en santé, tu la démonises en la considérant comme une vengeance de Dieu ? Ma foi, tu perds la tête, Émile !

— Laisse-moi le temps de m'habituer.

— Heureusement que mon père n'a pas réagi comme toi quand nous sommes nées, Françoise, Ida et moi. Nous aurions été bien malheureuses, si nous n'avions pas bénéficié de l'amour inconditionnel de notre père.

— Ton père! Encore ton père, le saint homme! vociféra Émile. C'est parce qu'il n'avait pas besoin de garçons qu'il vous a acceptées si facilement, tes sœurs et toi. Moi, j'ai besoin d'hommes pour alléger mon fardeau sur cette maudite terre de Caïn! Toi aussi, tu apprécierais recevoir de l'aide, parce que tu ramasses plus de roches que de patates dans ton maudit jardin!

— Il y a beaucoup de roches dans mon jardin, oui, mais il a quand même produit suffisamment pour nous nourrir jusqu'à la prochaine récolte.

— Il faut déjà recommencer à le labourer, puis à l'engraisser si on veut récolter autant cette année, indiqua Émile. Comment vas-tu arriver à t'occuper du jardin, maintenant que tu as un bébé? ajouta-t-il, l'air frondeur.

— Je te ferai remarquer que si j'avais eu un garçon, j'aurais le même problème. Mais pour répondre à ta question, sache que je ferai comme toutes les femmes qui ont un potager à entretenir en même temps qu'elles doivent prendre soin d'un bébé. Je vais installer la petite dans un moïse et je l'allaiterai quand elle aura faim. Je finirai plus tard mes tâches, et tu souperas plus tard. Voilà tout!

Ignorant comment réagir, Émile sortit de la maison pour aller vaquer à ses nombreuses occupations. Tranquillement, il se fit à l'idée qu'il avait eu une fille et non un garçon, et qu'à défaut de l'aider, lui, Monique aiderait Lauretta le moment venu. Les corvées de sa femme s'alourdissaient au lieu de diminuer ; ce serait encore pire au fil du temps. Étant l'aîné, Émile avait été pris en main par son père dès ses premières années ; il n'avait donc pas eu conscience de tout le travail que sa mère abattait dans la maison. Émile commença à prendre la petite quand elle pleurait. Il fut surpris de constater qu'elle se calmait aussitôt qu'il se mettait à la bercer. Il en vint rapidement à rechercher ces instants d'intimité avec sa fille, qu'il aimait sincèrement.

Une année passa. La petite Monique marchait. Elle recherchait la compagnie de son père dès qu'elle l'apercevait. Émile était réceptif à cet amour, d'autant plus que Lauretta était à nouveau enceinte. Le potager avait produit plus que d'habitude, comme s'il savait que la famille Robichaud aurait une bouche de plus à nourrir. Il y avait des patates à profusion ainsi que des navets, des oignons et d'énormes choux. Avec une variété de courges et de très grosses citrouilles, Lauretta cuisinait des tartes et des potages délicieux.

Émile semblait heureux ; il ressentait les bienfaits de l'amour paternel. Le 19 décembre 1930, sa femme donna naissance à ce fils tant attendu, Gérard. Émile ne buvait plus et il se promettait de se tenir loin de l'alcool. L'épreuve était d'autant plus difficile que la période des Fêtes approchait, mais il tint parole. Il était en admiration devant son fils, mais il devait partir pour le chantier ; il bûcherait jusqu'au printemps. Pendant ce temps, Aimé s'occuperait de la traite de ses vaches, moyennant une partie du revenu généré. C'était plus payant pour Émile de monter au chantier, même s'il regrettait d'abandonner sa famille.

Dans les camps de bûcherons se retrouvaient des hommes comme lui, petits agriculteurs qui avaient besoin de gagner de l'argent et qui s'ennuyaient de leurs familles. Il y avait toujours quelqu'un pour faire entrer de l'alcool en contrebande. Émile avait toutes les misères du monde à résister à la tentation. Il savait qu'une seule lampée d'alcool serait de trop.

— Voudrais-tu une p'tite gorgée, Émile? lui demanda Arsène.

— Tu sais ben que j'suis mieux de pas toucher à ça, baptême de viarge!

— Voyons donc, Émile, t'es ben plus fort que ça! Rien qu'une p'tite gorgée, ça te tuera pas.

— Arrête, Arsène! On n'a pas le droit de boire sur le chantier. Si on se fait pogner, y vont nous crisser dehors!

— Tout le monde a une flasque cachée quelque part. Y a ben juste toi qui en as pas.

— C'est de la bagosse? demanda Émile.

— Ouais! De la maudite bonne bagosse que j'ai faite moi-même. Prends-en une gorgée! Rien qu'une…

Émile saisit la flasque d'Arsène. Erreur fatale ! Dès la première lampée, il sentit le feu de l'alcool traverser son gosier, ce qui lui rappela avec nostalgie sa folle jeunesse. Il se préparait à monter au chantier quand il avait pris sa première cuite. Il avait perdu son pucelage avec une catin qui lui avait vidé les poches. Ensuite, Émile avait bien ri parce qu'il avait caché le gros de son argent dans ses bottines et que la femme n'avait vérifié que ses poches de pantalon – où il n'y avait pas grand-chose à voler, à l'exception de quelques pièces. C'était il y a vingt ans, mais depuis, sa situation avait bien changé. Maintenant, il était marié et père de deux enfants en bas âge. Aurait-il dû rester garçon et vendre sa terre à son frère ou au plus offrant ? Il n'avait jamais travaillé aussi dur que depuis qu'il avait convolé avec Lauretta, la seule femme qu'il avait aimée dans sa vie. En quelque sorte, cet amour était un poison encore plus puissant que l'alcool dont il ne réussirait jamais à se défaire. *Il n'y a pas plus grand piège que la famille et l'amour*, pensa-t-il. Il avala une autre gorgée.

— Wow ! Robichaud ! Vide pas ma flasque. C'est tout ce que j'ai pour me rendre au printemps.

— J'suis certain que tu peux en trouver d'autre pour pas trop cher.

Émile prit une énorme gorgée avant de remettre la flasque presque vide à Arsène. Il lui lança une pièce de vingt-cinq cennes. Maintenant, le feu faisait rage dans son estomac et dans sa tête. Il replongea dans ses souvenirs. En imagination, il vit la petite Monique courir vers lui ; son cœur s'emballa. Il pensa ensuite à Gérard, son fils. C'était la chair de sa chair, ces deux enfants-là. Il ne pouvait plus se défiler, il était trop tard pour changer quoi que ce soit. S'il n'y avait eu que Lauretta en cause, il aurait pu la quitter et soigner son chagrin dans l'alcool et la luxure, mais ç'aurait été criminel d'abandonner ses enfants dans la misère. Toutefois, il savait que les Frégeau les recueilleraient, en cas de besoin. Ce soir-là, Émile s'endormit, le cœur plein de regrets. Il n'était pas heureux et la vie de fermier ne lui convenait pas.

Le lendemain, il se réveilla la tête embrumée par les relents d'alcool. Il déjeuna copieusement avec des fèves au lard et de la couenne de lard. Il buvait un affreux café quand le sifflet se fit entendre. Ce signal indiquait qu'il était temps de prendre sa hache et son godendard et d'aller bûcher à l'emplacement de la veille. Le travail chassa les dernières traces d'alcool dans son sang.

À la pause du dîner, Émile s'informa pour savoir si quelqu'un avait de la bagosse à vendre. Un des hommes lui répondit par l'affirmative.

— Combien tu veux pour une bouteille, Nelson ? lui demanda Émile.

— Un vingt-six onces ou un quarante onces ?

— Ça dépend du prix.

— Soixante-quinze cennes ou une piastre.

— J'veux un quarante onces.

— Tu viendras me voir après le souper. Je cache la marchandise dans le bois. Si tu te fais pogner par le *foreman*, tu me connais pas !

— Inquiète-toi pas, j'sais fermer ma gueule !

Émile était satisfait du marché. C'était plus cher qu'au village, mais le risque couru au chantier faisait augmenter le prix de l'alcool. Après le souper, il suivit Nelson dans le bois. Il s'immobilisa quand ce dernier lui fit signe de ne pas aller plus loin. Nelson s'éloigna. Quelques instants plus tard, il réapparut avec une bouteille de grès dans la main. Émile prit la bouteille et paya son achat.

— À ta place, Émile, j'me trouverais une petite flasque parce c'est plus facile à cacher si le *foreman* fait une fouille. Et puis, un quarante onces, ça contient quatre flasques. Tu contrôlerais mieux ta consommation, si tu divisais l'alcool en plus petites quantités. Et fais attention, car il y a des *stools* et des voleurs dans le camp. Si tu manques d'alcool, j'en ai encore à vendre. Mais bois jamais à te rendre soûl ; sinon, tu vas avoir des problèmes.

— T'en fais pas pour moi, j'suis capable de me défendre !

— J'te parle pas de force physique, mais des *stools* ! S'ils te voient chaud, ils vont courir le dire au *foreman*. Ça se peut qu'il te retourne chez vous… Si t'es comme moi, t'es ici pour la piastre, rien d'autre.

— Si j'en pogne un à bavasser, y va en manger toute une! Mais j'vais faire attention.

Avant de retourner au campement, Émile s'assit sur une vieille souche. Il déboucha la bouteille, renifla l'alcool et en avala quelques bonnes gorgées. L'alcool propagea une onde de feu dans sa gorge et son estomac. La chaleur instantanée le remplit de bien-être. Il cacha la bouteille dans son manteau, sous son bras, et reprit le chemin du camp. Une fois sur place, il s'étendit sur sa paillasse. Il avait enfoui la bouteille dans son barda avant de s'allonger et de sentir le plein effet de l'alcool. Il se remémora sa vie avant sa rencontre avec Lauretta et la venue des enfants. La boisson le rendait négatif et belliqueux, mais heureusement, il s'endormit rapidement. Le rituel était installé. Au bout d'une semaine, il acheta une autre bouteille à Nelson. En prime, il reçut une flasque bosselée en métal. Émile buvait un quarante onces hebdomadairement, ce qui équivalait au salaire d'une journée de dur labeur.

À la fin du chantier, il se mit à craindre le retour à la maison. Il devait cesser de boire ; sinon, Lauretta s'en rendrait compte. Émile eut l'idée de commencer à chiquer. Cela dégoûterait Lauretta de l'embrasser et il pourrait boire en toute tranquillité. Cependant, il faudrait qu'il ingurgite moins d'alcool, car sa femme ne serait pas dupe longtemps.

Le premier soir, après le retour d'Émile, pendant que son mari et elle se caressaient, Lauretta perçut un relent d'alcool dans l'haleine de son époux. Elle le repoussa vivement.

— Tu avais juré que l'alcool, c'était fini pour toi, Émile Robichaud, mais tu as recommencé ! Je ne coucherai certainement pas avec un ivrogne. Au fait, pendant que tu étais au chantier, mon père a vendu sa propriété et a accepté de s'occuper du domaine d'Adélard Godbout. Il m'a dit que si j'avais des ennuis avec toi, il nous hébergerait, les enfants et moi, aussi longtemps que nécessaire.

— J'arrive à peine d'un chantier de trois mois pour nous aider à vivre plus convenablement, et tu m'engueules et me menaces d'aller vivre chez ton père ? répliqua Émile, qui se savait pourtant dans son tort.

— Pourquoi as-tu recommencé à boire si on compte tant pour toi ?

— Parce que je m'ennuyais de vous autres !

— Comment puis-je te faire confiance si tu ne tiens jamais parole ?

— Qu'est-ce qu'il faut que je fasse ? Que j'me mette à genoux et que j'demande pardon à Dieu ?

— Ce serait un bon début !

— J'trouve que tu pousses pas mal fort. C'est pas un péché de boire !

— Oui, c'est un péché parce que tu m'avais juré de ne plus lever le coude ! Es-tu prêt à reconnaître que tu as un problème de consommation ?

— Ben oui! Es-tu contente? répliqua Émile, exaspéré.

— Si tu arrives à rester sobre, peut-être que la vie reprendra son cours normal entre nous deux. En attendant, tu dormiras dans une autre chambre!

Émile quitta sa femme en bougonnant. Il pestait, la traitant de tous les noms. Son plan n'avait pas fonctionné. Au moins, Lauretta n'irait pas se réfugier chez son père, ce qui aurait amplifié sa honte. Il devait s'amender, car il craignait de perdre sa famille. Quel déshonneur…

Au camp de bûcherons, Émile avait songé avec nostalgie à sa vie de célibataire et s'était senti écrasé par le poids des responsabilités familiales. Maintenant, il devait cesser de s'empoisonner l'esprit. Arrêter de boire serait difficile, mais il ferait l'effort d'essayer. Il ne voyait qu'une façon de réussir: en s'abrutissant dans le travail. Malheureusement, il était trop tôt dans la saison pour travailler le sol. Émile aurait le train à faire, matin et soir, mais ce ne serait pas suffisant. Ne lui restait que l'option de bûcher pour lui-même dans le fond de sa terre afin d'avoir du bois de chauffage pour l'an prochain. C'est ce qu'il fit.

Chapitre 20

En 1930, Dalma Frégeau reçut une proposition d'Adélard Godbout – alors ministre de l'Agriculture dans le gouvernement libéral d'Alexandre Taschereau. Agronome de formation, M. Godbout avait acheté un domaine à Frelighsburg, où il cultivait la pomme. Il voulait aussi expérimenter d'autres domaines de l'agriculture. Chez les Frégeau, il ne restait plus que Françoise et Guy, tous deux pensionnaires. Dalma avait réfléchi sérieusement à l'offre de M. Godbout, car il s'agissait d'un grand honneur et d'une reconnaissance de son talent. Finalement, il avait décidé de vendre sa propriété et de devenir le métayer du domaine Godbout. Il avait à sa disposition une maison, où il pourrait recevoir sa famille. Il pensait souvent à recueillir sa fille Lauretta et ses petits pour les mettre à l'abri des folies d'Émile Robichaud.

Lauretta ne s'était plainte de rien, mais certains signes ne trompaient pas. S'en aller dans un chantier au début du mois de janvier par un hiver qui s'annonçait rigoureux et laisser sa femme seule avec deux jeunes enfants – dont un bébé naissant – relevait de l'inconscience, selon Dalma. Heureusement, Lauretta pouvait compter sur la présence quotidienne d'Aimé, qui venait faire le train. Cela rassurait Dalma, mais sa fille était quand même seule la nuit. Elle devait se lever pour mettre du bois dans la fournaise afin de ne pas laisser la froidure envahir la maison. Dalma se faisait du mauvais sang en songeant que les accidents surviennent souvent la nuit, alors que les gens sont les plus vulnérables.

Ce que Dalma ignorait, c'est que Lauretta avait beaucoup appris depuis son mariage. Débrouillarde et organisée, elle n'avait pas peur de grand-chose. Sa courte expérience de maîtresse d'école lui avait servi et, de plus, elle savait comment utiliser un fusil. Les renards et les maraudeurs qui se seraient aventurés trop près du poulailler auraient eu une mauvaise surprise. Laura et Dalma rendaient souvent visite à leur fille, lui apportant de petites surprises comme une tarte ou un pâté. Dalma n'oubliait jamais le panier de pommes, étant convaincu des vertus curatives et nutritionnelles de ce fruit.

— Pourquoi ne viendrais-tu pas habiter avec nous, ne serait-ce que pour un temps, afin de prendre un peu de répit, Lauretta ? lui avait demandé son père.

— Je ne peux pas abandonner ma maison, papa, alors qu'Émile travaille fort au chantier.

— Ce n'est guère prudent que tu sois seule la nuit. Mais tu fais comme tu veux !

— Je n'ai aucune crainte, papa. Et Aimé et Armande font mes commissions au village. Ne t'inquiète pas. Tout va très bien et, en plus, je reçois de la belle visite comme toi et maman !

Dalma n'insistait jamais. Mais pendant que Lauretta jasait avec Laura de tout et de rien, il inspectait les lieux, remplissait la boîte à bois et gardait un œil sur la cheminée. Une fois satisfait, il retournait s'asseoir à la table et parlait de la vie sur le domaine Godbout pour changer les idées de sa fille sans que cela paraisse trop. Lauretta était toujours contente de voir ses parents, car cela la sortait de sa routine. Elle aurait adoré séjourner chez eux pour se laisser dorloter parce qu'Émile en était incapable. Dominé par un père irascible, il n'avait jamais appris la douceur et la délicatesse. Lauretta restait donc chez elle afin de ne pas fragiliser le mince équilibre qu'elle tentait de maintenir dans son couple. En attendant le retour de son mari, elle n'osait pas sortir dehors trop longtemps à cause de Gérard. Elle jugeait son fils trop jeune pour affronter le froid polaire, à moins d'une extrême nécessité.

Lauretta s'oxygénait quand elle rentrait du bois pour chauffer la maison. Après le dîner, pendant la sieste des enfants, elle se rendait au poulailler. Elle aimait la chaleur humide et l'odeur de cet endroit. Lauretta apportait toujours une chaudière d'eau et des pelures de légumes – en plus du grain – pour abreuver et nourrir ses volatiles. Elle ramassait les œufs et les déposait dans sa chaudière vide. Elle accomplissait cette tâche en un temps record pour ne pas laisser les enfants seuls trop longtemps.

L'hiver passait lentement. Lauretta marquait les jours sur le calendrier, sur lequel elle notait le fait dominant de la veille. Elle regrettait son piano, mais elle chantait pour compenser et calmer les enfants. Aimé venait souvent la voir pour s'assurer que tout allait bien. Elle en profitait pour lui refiler une douzaine d'œufs, à l'occasion. Les journées paraissaient longues ; elles étaient tellement calmes que Lauretta avait l'impression de tomber en léthargie. Émile lui manquait, même s'il avait de fréquentes sautes d'humeur. Au moins le caractère bouillant de son mari la secouait de sa torpeur.

Chapitre 21

Chaque fois, dès son retour du chantier, Émile cessait de boire. Il regrettait souvent d'avoir abandonné ses activités illicites. Sa situation financière était difficile. Une part du peu d'argent qu'il gagnait au chantier passait toujours dans l'achat d'alcool. À la ferme, il tentait de vivre du fruit de son labeur et Lauretta cultivait son potager, mais c'était presque une mission impossible. En investissant dans l'achat d'animaux, Émile aggravait ses difficultés. Sa famille ne mourrait jamais de faim, mais les petites douceurs de la vie étaient exclues. Lauretta rapiéçait les vêtements élimés et confectionnait du linge pour les enfants à même ses robes qu'elle n'avait plus l'occasion de porter.

— Émile, crois-tu que ce soit une bonne idée d'acheter des animaux quand on n'a même pas les moyens de se vêtir convenablement? se lamenta Lauretta.

— Tiens, voilà ma bourgeoise qui se plaint! Il faut posséder un minimum d'animaux pour pouvoir en vivre. Si on veut manger du porc, il faut une truie et un porc pour avoir une portée. Tu comprends ça, j'espère?

— Ne me prends pas pour une imbécile, Émile Robichaud! Tu aurais pu te limiter à un goret, acheté pour presque rien. On l'aurait engraissé et on aurait fait boucherie à l'automne.

— Qu'est-ce que tu connais là-dedans? rétorqua Émile d'un ton cinglant.

Émile n'éprouvait plus aucun plaisir à travailler la terre. Il se tuait quand même à l'ouvrage, comme l'avait fait son père Arthur, pour ne pas penser à ses malheurs. Les enfants naissaient régulièrement; après Monique et Gérard étaient arrivés Marcel, Yvan, Patrick, Daniel, Nicole et, finalement, Jacques en 1944. Plus le temps passait, plus les besoins grandissaient, et plus Émile devenait aigri. Lauretta endurait en silence et s'évertuait à fournir le nécessaire avec les moyens du bord. Quand Émile jugeait qu'un enfant était devenu assez vieux pour l'aider, il le mettait à l'ouvrage, usant de la même rigueur que son père lui avait témoignée. C'est le pauvre Gérard qui goûta le plus à sa médecine. Heureusement que ce dernier était doté d'une bonne santé; il devint une véritable force de la nature, plus fort et plus grand que son père. L'aîné des garçons était devenu le souffre-douleur d'Émile, qui le traitait comme s'il était un benêt puisqu'il acceptait tout sans rechigner. D'une bonne nature, Gérard était sans malice.

Monique – qui n'avait que quinze ans à l'époque – revint enceinte de son séjour chez une des sœurs d'Émile, à Granby. Émile la renia. La jeune fille se réfugia chez sa tante Françoise, à Montréal. La sœur de Lauretta prit grand soin de sa nièce, qui vécut une grossesse sereine. Quand Monique revint dans la région après son accouchement, elle se rendit directement chez ses grands-parents Frégeau avec son fils. Mais sa mère exerça des pressions sur son père, alors ce dernier accepta qu'elle réintègre la maison familiale. Monique aurait préféré rester chez ses grands-parents, plutôt que d'affronter le mépris de son père. Toutefois, le sort en avait décidé autrement.

Peu de temps après le retour de Monique à la maison, en plein mois de février, la grange et la maison brûlèrent. Tout le monde essaya de sauver le plus de biens possible. Émile et ses garçons libérèrent les animaux captifs dans la grange. Le père de famille fit preuve de courage en évitant à ses enfants de prendre des risques inutiles. Plus tard, une fois la famille chez les voisins et les animaux à l'abri dans la grange d'un autre voisin, Émile accusa sa fille Monique d'être responsable de la malédiction qui venait de s'abattre sur les siens. Pour lui, le monde venait de s'écrouler. La haine l'envahit et il se remit à boire. Émile vendit ses animaux et son fonds de terre à un bon prix, vu les circonstances. À l'insu de sa femme, il cacha cinq mille dollars du fruit de la vente sans trop savoir pourquoi, sinon par avarice.

Toute la famille déménagea à Granby. Émile acheta un terrain en bordure de la ville. Il dégota un logement dans la même rue où se situait son terrain. Il avait déjà quarante-neuf ans, un âge avancé pour commencer à travailler en usine. Il retarda le plus longtemps possible son entrée sur le marché du travail en construisant sa maison. Les talents de chacun furent mis à contribution. Tout le monde devait participer à sa manière à la bonne marche de la maison, même si Émile avait camouflé cinq mille dollars. S'il avait utilisé cet argent pour engager de la main-d'œuvre qualifiée, les siens auraient pu souffler un peu. À cause de l'attitude d'Émile, la situation familiale se dégrada encore plus.

Le mépris qu'Émile affichait envers sa fille Monique se retourna contre lui; celle-ci s'allia à sa mère pour mettre fin à la tyrannie qu'il exerçait sur la famille. Monique, qui avait maintenant seize ans, détestait son père et était devenue une adversaire redoutable en côtoyant sa tante Françoise, féministe d'avant-garde, pendant son long séjour à Montréal. Elle sut convaincre sa mère de mettre fin au régime de terreur qu'Émile imposait à la maisonnée. Elle persuada ses frères de remettre 50 % de leurs revenus à leur mère, un partage qui était plus équitable.

Monique réussit son putsch : elle évinça son père de son rôle de chef de famille. Briser un joug de près de vingt ans s'avérait un grand défi, mais Monique convainquit sa mère de résister à Émile, d'autant plus que celui-ci ne prenait même plus la peine de cacher son ivrognerie.

Dans son taudis, Lauretta se débattait afin que ses enfants ne manquent de rien. La construction de la maison traînait en longueur. Elle lança un ultimatum à son époux : elle le quitterait s'il ne finissait pas la maison pour la rentrée scolaire et ne se trouvait pas du travail. Elle savait que, d'après la loi, Émile pourrait garder les enfants et la maison s'il le désirait, mais ses enfants la soutenaient dans son action, ce qui lui donnait du courage. Que deviendrait Émile, seul et sans l'appui de sa famille? Il rêverait à son passé, mais il était vieux maintenant… En 1926, quand Lauretta s'était mariée, le divorce était impensable. Une vingtaine d'années plus tard, la situation avait beaucoup évolué.

Les femmes avaient obtenu le droit de vote au printemps de 1940. Elles se battaient pour défendre leurs droits. En 1946, après avoir travaillé cinq ans dans les usines – durant la guerre –, plusieurs d'entre elles ne voulaient pas redevenir des maîtresses de maison à plein temps. Une nouvelle révolution se préparait, car elles en avaient assez d'être dociles et soumises, et ce, même si le clergé tenait encore les guides serrés en les menaçant d'excommunication. Le fait de gagner un salaire représentait une arme puissante contre la domination masculine omniprésente. Elles voulaient devenir des partenaires à part entière. Elles bénéficiaient d'un avantage puisqu'elles étaient parfaitement autonomes comparativement aux hommes – elles étaient indépendantes financièrement et savaient tenir la maison. Les patrons ne voulaient pas perdre cette main-d'œuvre, car leurs employées travaillaient autant, sinon plus, que les hommes et à moindre coût. Il y avait encore de l'injustice à l'égard des femmes, mais le temps viendrait où l'égalité serait une réalité et où certaines d'entre elles deviendraient même des patronnes.

Monique rêvait d'être indépendante et elle voulait insuffler ce désir à sa mère pour écraser Émile, un homme méprisant et injuste. Elle parviendrait à son but, mais elle était trop imbue de vengeance pour que sa victoire soit totale. La jeune femme considérait que son père lui avait volé Jean-Pierre, son fils. Il ne voulait pas céder sur ce point, malgré toutes les menaces qu'elle proférait à son endroit.

À cause de son cœur trop grand et de son éducation chrétienne, Lauretta pardonna à son mari. Elle endurerait sa triste existence en serrant les dents, mais elle retirerait certains privilèges à Émile. Ce dernier ne partagerait plus son lit et elle l'obligerait à contribuer financièrement au bien-être de la maisonnée. Cette longue guerre de tranchées, entremêlée de sournoiseries, rendit la vie pénible à tous les membres de la famille.

Depuis longtemps, Émile ne se cachait plus pour boire. Sa déchéance était exposée aux yeux de tous. Malgré son alcoolisme, il ne manqua jamais une journée de travail à la Miner Rubber. C'était un bon point en sa faveur, car il avait été assigné dans le service le plus exigeant de l'usine sur le plan physique. Les autres employés prenaient des gageures, croyant qu'il ne résisterait pas, mais il déjoua les pronostics : en effet, il conserva son poste pendant les vingt ans qu'il passa dans cette manufacture. Émile avait établi sa routine : chaque jour qu'il travaillait, il visitait plusieurs épiceries, avalant une ou deux grosses bières à chaque endroit.

Épilogue

Émile prit sa retraite de l'usine Miner à l'âge de soixante et onze ans. C'est alors seulement qu'il réalisa qu'il avait traversé l'enfer et l'avait fait vivre à sa si chère Lauretta. Même s'il était plein de remords, il n'arrêta pas de boire pour autant. Il arpentait les rues de la petite ville qui avait pris beaucoup d'expansion au fil des années. Émile s'arrêtait de temps à autre, faisant un brin de jasette et buvant une grosse bière, puis il poursuivait sa route jusqu'à l'escale suivante. Il possédait un caractère changeant; joyeux un moment, l'instant d'après, il devenait belliqueux. Presque tous ses enfants l'avaient déçu. Gérard avait divorcé à plusieurs reprises, mais Émile n'en savait guère plus à son sujet, car il le voyait rarement. Envieux et ivrogne, Marcel s'était comporté en parfait salaud sur plusieurs plans, particulièrement avec sa femme Violette. Émile savait que Marcel était celui qui lui ressemblait le plus de tous ses enfants. Il n'en était pas fier, même s'il ne pouvait rien refuser à son fils. Émile l'avait même endossé pour un prêt après son divorce. Marcel avait eu beaucoup de maîtresses, qu'il ne respectait pas, mais il était travaillant. Il était aussi égoïste que son père, ce qui chagrinait Émile, triste de constater l'héritage qu'il avait laissé à son fils. Il se sentait tellement coupable qu'il en avait parlé à Lauretta.

— Je sais que Marcel a toujours été ton préféré, Lauretta. Mais si tu savais comment il se comporte avec les femmes, tu serais très découragée.

— Pourquoi tu me dis ça ? Avec le temps, j'avais deviné que Marcel était aussi devenu ton préféré. Il te ressemble tellement, même physiquement. Il a le même air arrogant que tu arborais quand je t'ai connu. Violette ne méritait pas d'être traitée si mal. Ce que je trouve le plus difficile, c'est lorsqu'il vient me présenter ses nouvelles conquêtes et que je dois me montrer gentille avec elles. Ce n'est pas leur faute, mais il n'y en a pas une qui arrive à la cheville de Violette.

— J'ai jamais été un courailleux ! répliqua Émile.

— C'est vrai, je dois le reconnaître. Mais si tu avais pu contrôler ton alcoolisme, on aurait eu une bien plus belle vie.

— À un moment donné, j'ai lâché prise ; j'étais plus capable de m'empêcher de boire. Mais avoue que c'est moins pire qu'avant.

— Quand j'ai compris que c'était une maladie et que tu faisais des efforts pour arrêter, ou au moins réduire ta consommation avec l'aide de notre fils Daniel, j'ai cessé de t'en vouloir.

— Si tu savais comment je me suis battu. Mais chaque fois, il y avait toujours quelque chose qui me faisait replonger. J'étais pas fier de moi…

— Je le sais, Émile. Mais peux-tu comprendre la misère que tu m'as faite ?

— Oui… Que dirais-tu si on vendait la maison, pis qu'on déménageait chez Gérard ?

— C'est une bonne idée parce que je ne suis plus capable de tenir maison. Te rappelles-tu que, peu de temps après notre arrivée à Granby, une vieille dame m'avait donné sa machine à coudre ? Elle cassait maison pour aller habiter chez sa fille. Nous sommes rendus là, Émile ! J'ai soixante-quatorze ans et je ne vois presque plus rien et toi, tu as quatre-vingt-quatre ans. Si nous allons vivre chez Gérard, ça l'aidera à payer sa nouvelle propriété.

— À qui voudrais-tu vendre notre maison ?

— On fera une réunion de famille et on tiendra compte des opinions de nos enfants. On verra bien ce qu'ils en pensent…

— Tu pourras faire ce que tu veux parce qu'elle est à toi, Lauretta.

— Elle nous appartient à tous les deux, Émile. Nous avons travaillé fort pour la garder pendant tout ce temps.

— Elle était payée en partant !

— Je faisais référence au fait que nous sommes encore ensemble après toutes ces années de tempêtes, de chicanes…

— Je ne te méritais pas, ma belle Lauretta !

— Ça fait bien longtemps que tu ne m'as pas appelée ainsi. Mais personne ne m'a forcée à t'épouser. Ensuite, j'ai assumé mon choix.

— Sais-tu ce qui me fait le plus de peine ? C'est que j'ai pas fait la paix avec Monique avant sa mort.

— Tu aurais dû lui redonner son garçon quand elle s'est mariée avec Paul. Notre gendre aurait pris soin de Jean-Pierre comme de son propre fils, j'en suis certaine. Au lieu de ça, vous vous êtes battus comme chien et chat, et même avec Paul…

— C'est vraiment pas une bonne idée de rebrasser cette histoire, protesta Émile, même si c'était lui qui avait abordé le sujet. Ça risque de me pousser à boire.

— Tu as raison. N'empêche que ce n'est pas normal d'enterrer sa progéniture. J'espère que nous ne verrons mourir aucun autre de nos enfants.

Lauretta rumina cette idée pendant longtemps. Tous les membres de sa famille étaient morts – même Françoise était décédée quelques années auparavant, à l'âge de soixante-deux ans. Lauretta se demandait si Émile lui survivrait. Mais les longues promenades quotidiennes de ce dernier lui permettaient de garder la forme. Des gens rapportaient l'avoir vu aux quatre coins de la ville ; ce qui était impressionnant. Non,

Émile ne donnait aucun signe de défaillance. Sa consommation d'alcool avait diminué au fil du temps ; maintenant, il atteignait plus rapidement son niveau d'ivresse habituel.

La réunion familiale eut lieu pour décider du sort de la maison familiale. Personne n'en voulait, sauf Marcel. Il l'obtint pour le prix de treize mille dollars. Profitant de la présence de tous ses enfants, Lauretta aborda la question de l'héritage.

— Il n'y a qu'une chose à laquelle je tiens absolument, et c'est la justice. Certains d'entre vous me doivent un peu d'argent, alors cela sera déduit de votre part d'héritage. Je veux que Jean-Pierre reçoive sa part comme s'il était notre fils légitime. De plus, l'héritage qui serait revenu à Monique sera remis à ses enfants. Votre père et moi ne laisserons pas une fortune, mais pour certains d'entre vous, cela représentera un petit réconfort.

— Voyons, maman ! protesta Nicole. Tu vivras peut-être encore vingt-cinq ans. Il ne restera pas grand-chose…

— Émile et moi, nous ne coûtons pas cher à nourrir. Et j'ose espérer que notre pension de vieillesse suffira à couvrir nos frais de subsistance. J'ai quelques économies, et votre père et moi avons chacun une police d'assurance vie. Vous n'aurez pas à payer nos sépultures.

— Ne t'inquiète pas, maman! intervint Gérard. Si vous venez vivre chez nous, vous ne manquerez pas d'argent. Mais papa trouvera que c'est loin, Saint-Alphonse!

— Tu as raison. Qu'en penses-tu, Émile? Est-ce que Saint-Alphonse te conviendra?

— Je peux marcher n'importe où, Lauretta. Pourvu qu'il y ait un chemin, ça va être correct!

Après avoir vendu la maison familiale à leur fils Marcel, qui croyait avoir fait un coup d'argent, Émile et Lauretta allèrent vivre à la campagne chez Gérard, l'aîné de leurs fils. Émile continua à faire de longues promenades. Un jour qu'il faisait une marche, il trébucha sur l'accotement de la route après avoir laissé passer une automobile. Il se retrouva dans le fossé, ne souffrant que de blessures bénignes. Mais à quatre-vingt-douze ans, il ne fallait pas grand-chose pour déstabiliser la santé d'un vieillard. Après sa mauvaise chute, il ne quitta plus la maison. Quelques mois plus tard, Émile décéda.

Lauretta mourut quelques années plus tard, à l'âge de quatre-vingt-quatre ans, chez sa fille Nicole. Le passé était si lointain…

Encore plus chez Les Éditeurs réunis

Après le vaste succès de sa série Chroniques d'une p'tite ville, *Mario Hade remet son talent à contribution pour donner une tournure différente à sa touchante histoire, comblant les lecteurs initiés au même titre que les nouveaux.*

Visitez lesediteursreunis.com pour plus de détails.

MARQUIS

Québec, Canada